O9-CFT-855

PROMENADES ET SOUVENIRS
LETTRES A JENNY
PANDORA
AURÉLIA

GÉRARD DE NERVAL

PROMENADES
ET
SOUVENIRS
LETTRES A JENNY
PANDORA
AURÉLIA

Chronologie et préface
par
Léon Cellier
professeur à l'Université de Paris-Sorbonne

GARNIER-FLAMMARION

CHRONOLOGIE

1808 : *22 mai*, naissance à Paris, rue Saint-Martin, de Gérard Labrunie, fils d'Etienne, docteur en médecine, et de Marie-Antoinette Laurent. La famille paternelle était d'origine méridionale (région d'Agen). Sa mère était une « femme du Nord » dont la famille s'était fixée dans le Valois.
23 mai, baptême à Saint-Merri.
8 juin, E. Labrunie, médecin adjoint à la Grande Armée, puis *22 décembre*, attaché à l'Armée du Rhin. Gérard a été mis en nourrice à Loisy entre Ermenonville et Mortefontaine.

1810 : E. Labrunie, en Allemagne, dirige l'hôpital de Hanovre puis de Glogau. Sa femme l'a suivi en Allemagne.
29 novembre, la mère de Gérard meurt à 25 ans ; elle est inhumée au cimetière catholique polonais de Gross-Glogau.

1812 : E. Labrunie, blessé à Wilna en Pologne. On reste sans nouvelles de lui.
Gérard, en l'absence de ses parents, avait été confié à l'oncle de sa mère, Antoine Boucher, qui habitait Mortefontaine.

1814 : Retour du père. Retraité, il s'installe à Paris et prend Gérard avec lui. L'enfant revient chez son oncle pendant les vacances.

1820 : Gérard entre comme externe au collège Charlemagne. Il a pour camarade Théophile Gautier.
30 mai, mort de l'oncle Boucher.

1820-1826 : Gérard poursuit régulièrement ses études. Dès l'âge de 13 ans, il commence à écrire des vers. Dans le Valois, il a été ébloui par Sophie de Feuchères, favorite du duc de Bourbon qui demeure à Chantilly. Le duc a acquis pour elle le domaine de Mortefontaine. A Saint-Germain, il a rencontré une autre Sophie, sa cousine, modèle plus vraisemblable d'Adrienne.

1826 : Dès le collège, il est déjà imprimé : *Elégies nationales* (à la gloire de Napoléon), l'*Académie ou les membres introuvables*, comédie satirique.
Sort du collège reçu bachelier par MM. Villemain, Cousin et Guizot réunis.
26 août, mort à 25 ans d'Eugénie, sœur de la mère de Gérard.

1826-1827 : Il traduit le *Faust* de Gœthe. Cette traduction lui vaut une renommée immédiate : présenté à Hugo, lié à Célestin Nanteuil et Pétrus Borel.

1828-1830 : En désaccord avec son père qui ne veut pas d'un fils homme de lettres, aurait été apprenti imprimeur, puis clerc de notaire.

1829 : *Couronne poétique de Béranger*.
Tire un mélodrame du roman de Hugo, *Han d'Islande* (joué en 1831).
Publie des traductions de l'allemand dans les revues.

1830 : Participe à la bataille d'*Hernani*.
Publie en volume une traduction de *Poésies allemandes* (Klopstock, Gœthe, Schiller, Bürger) et un *Choix de poésies de Ronsard* (Du Bellay, Baïf, Belleau, Du Bartas, Chassignet, Desportes et Régnier).

1831 : Essais dramatiques qui n'aboutissent pas *(le Prince des Sots, Lara)*.
Publie régulièrement à partir de cette date traductions et odelettes dans les revues. Prend le pseudonyme de Gérard de Nerval du nom d'un clos appartenant à sa famille maternelle. A une date incertaine, entre 1831 et 1836, commence un roman *le Prince des Sots*.

1832 : Fait partie du « Petit cénacle » du sculpteur Jehan Duseigneur.

1832-1834 : Etudiant en médecine.

1834 : Hérite de son grand-père maternel mort le 19 janvier. Grâce à son héritage, il va quitter le domicile paternel, voyager, fonder une revue.
De *septembre* à *novembre*, VOYAGE EN ITALIE (Florence, Rome et Naples). S'éprend de l'actrice Jenny Colon.

1835 : Habite impasse du Doyenné avec Rogier, Gautier, Houssaye : c'est l'époque de la « Bohème galante » et des Cydalises.
En *mai*, fonde le *Monde dramatique*, revue de luxe.
En *octobre*, Mme de Feuchères achète à Mortefontaine la maison de l'oncle Boucher.

1836 : Echec du *Monde dramatique* : Gérard ruiné.
Désormais, il va gagner sa vie comme journaliste, et tenter de faire fortune au théâtre. Collaboration régulière au cours des années suivantes à *la Charte de 1830*, *la Presse*, *l'Artiste*.
Juillet : Avec Gautier, VOYAGE EN BELGIQUE (Anvers, Gand, Bruxelles).

1837 : *31 octobre*, Première de *Piquillo*, opéra-comique en collaboration avec A. Dumas. Interprété par J. Colon.
26 décembre, Première de *Caligula*, tragédie en collaboration avec Dumas.
Lettres à Jenny Colon.

1838 : Fin de l'intrigue avec Jenny qui se marie.
Août : Avec Dumas, VOYAGE EN ALLEMAGNE (Baden, Strasbourg, Francfort).

1839 : *10 avril*, Première de *l'Alchimiste*, drame en collaboration avec Dumas.
16 avril, Première de *Léo Burckart* à la Porte Saint-Martin. VOYAGE EN AUTRICHE : séjour à Vienne du *19 novembre 1839* au *1er mars 1840*. Est reçu à l'Ambassade. Rencontre la pianiste Marie Pleyel. Publie des articles dans les journaux viennois.

1840 : *Faust, suivi du second Faust et d'un choix de ballades et poésies*, avec une importante préface.
D'*octobre* à *décembre :* VOYAGE EN BELGIQUE. A Bruxelles, le 15 décembre, création de *Piquillo*. Le même jour à Londres, mort de Mme de Feuchères. Gérard retrouve à Bruxelles Jenny Colon et Marie Pleyel.

1841 : *Février :* A Paris, première crise de folie.
1er mars : dans *les Débats*, J. Janin fait « l'épitaphe » de l'esprit de Nerval.
21 mars : nouvelle crise, séjour à la clinique du docteur Esprit Blanche jusqu'en novembre.
Première version d'*Aurélia*.

1842 : *5 juin :* mort de Jenny Colon.
Préparation d'un grand voyage qui doit rétablir sa santé et renouveler son inspiration. Départ en *décembre* pour Marseille.
24 décembre : dans *la Sylphide, Un roman à faire*.

1843 : VOYAGE EN ORIENT. *1er janvier :* s'embarque à Marseille ; *16 janvier*, arrivée à Alexandrie après escale à Malte et du *7 février* au *2 mai :* séjour au Caire.
Vers la *mi-mai :* arrivée en Syrie ; parti de Beyrouth, visite Chypre, Rhodes et Smyrne ; le *25 juillet*, arrivée à Constantinople où il séjourne jusqu'au *28 octobre*. Retour en France par mer. Arrêt à Malte du *5* au *16 novembre ;* séjour à Naples du *18 novembre* au *1er décembre*. *5 décembre :* arrivée à Marseille.

1844 : Prépare le récit de son voyage qu'il publie fragmentairement dans les revues. Collabore régulièrement à *l'Artiste* où il publie prose et vers.
En *septembre*, avec Houssaye VOYAGE EN BELGIQUE ET EN HOLLANDE (Anvers, La Haye, Harlem, Rotterdam, Amsterdam).

1845 : Tient le feuilleton dramatique de *la Presse*.
En *août*, VOYAGE A LONDRES.

1846 : A partir de cette année, promenades aux environs de Paris. Publie dans *la Revue des Deux Mondes* le récit de son voyage en Orient.

1847 : Suite du récit *(Histoire du calife Hakem)*.
En *août*, VOYAGE AU HAVRE.

1848 : Il publie en volume au moment de la Révolution, le récit de son voyage en Orient : *les Femmes du Caire*. Insuccès de l'ouvrage.
La Révolution retarde la représentation de son nouvel opéra-comique : *les Monténégrins*.
Traduction des poésies de Heine dans *la Revue des Deux Mondes*.

1849 : *31 mars*, première des *Monténégrins*, à l'Opéra-Comique.
Dans *le Temps*, publication d'un roman historique, *le Marquis de Fayolle*, qu'il n'achève pas.
Avril : rechute et séjour en clinique.
Mai-juin : VOYAGE A LONDRES.

1850 : *13 mai*, première à l'Odéon du *Chariot d'enfant* en collaboration avec Méry ; dans *le National*, continue le récit de son voyage *(Histoire de Soliman et de la Reine du matin)*.
Publie en volume la seconde partie de son voyage : *les Femmes du Liban*.
Août-septembre : VOYAGE EN ALLEMAGNE ET EN BELGIQUE (assiste à Weimar à la première de *Lohengrin*).

1851 : Espère conquérir la gloire, en publiant la version définitive du *Voyage en Orient* le 14 juin ; en faisant jouer le 27 décembre *l'Imagier de Harlem*, qui devait être son *Faust*.
Insuccès des deux tentatives. Fait une chute en septembre, est malade jusqu'en novembre.

1852 : Soigné par son ami Stadler, puis hospitalisé en janvier-février à la Maison Dubois.
En *mai*, VOYAGE EN BELGIQUE ET EN HOLLANDE.
En *août*, VOYAGE DANS LE VALOIS.
Malgré sa détresse, ne cesse à partir de ce moment de publier : *Lorély, Souvenirs d'Allemagne, les Nuits d'Octobre, les Illuminés, la Bohème galante, Contes et Facéties*.

1853 : En *janvier*, publie *Petits Châteaux de Bohême*.
Son état s'aggrave : il séjourne en *février* et *mars* à

la Maison Dubois. Malgré tout, il termine *Sylvie* qui paraît le *15 août* dans *la Revue des Deux Mondes*. Peu après, il est interné à la clinique du docteur Emile Blanche à Passy où il séjournera jusqu'en mai 1854. Cependant il prépare *les Filles du Feu*.

Le *10 décembre*, Dumas publie dans *le Mousquetaire El Desdichado*.

1854 : *Janvier, les Filles du Feu.* Traduit la pièce de Kotzebue *Misanthropie et Repentir*.

Le *27 mai*, il sort de la clinique. VOYAGE EN ALLEMAGNE jusqu'en juillet (Strasbourg, Karlsruhe, Munich, Nuremberg, Leipzig, Weimar, Gotha, Cassel, Francfort).

Rentre à la clinique Blanche mais, sur l'intervention de la Société des Gens de Lettres, en sort en *octobre*. Séjourne chez une tante à Paris, à Saint-Germain, erre sans domicile. Il travaille à *Aurélia*, œuvre entreprise, comme on le croit aujourd'hui, depuis sa première crise en 1841.

Le *31 octobre*, Dumas dans *le Mousquetaire* publie le début de *Pandora*.

Le *30 décembre*, paraît dans *l'Illustration* le début des *Promenades et Souvenirs* dont la publication continue en janvier-février 1855.

1855 : *1er janvier, la Revue de Paris* publie le début d'*Aurélia*.

Misère physique et morale : une nouvelle dépression lui est fatale.

A l'aube du 26 janvier, Gérard est trouvé pendu rue de la Vieille-Lanterne (sur l'emplacement actuel du Théâtre Sarah-Bernhardt).

30 janvier : obsèques religieuses à Notre-Dame de Paris, il est inhumé au Père-Lachaise.

15 février : la fin d'*Aurélia* paraît dans *la Revue de Paris*.

PRÉFACE

Les textes nervaliens réunis dans ce volume : *Promenades et Souvenirs*, *Lettres à Jenny*, *Pandora*, *Aurélia*, ont un trait commun : ils étaient en cours de publication au moment où leur auteur se suicida à l'aube du 26 janvier 1855.

Il avait écrit dans son *Epitaphe* :

> Un jour il entendit qu'à sa porte on sonnait :
> C'était la Mort! Alors il la pria d'attendre
> Qu'il eût posé le point à son dernier sonnet...

Ce souci de parfaire l'œuvre commencée me paraît un argument de poids pour contester l'interprétation traditionnelle du suicide. Non pas certes pour revenir à la thèse de l'assassinat, mais pour refuser toute idée de préméditation. Nerval a été victime d'un « raptus anxieux » et son suicide ne peut passer pour une sorte de rite sacrificiel accompli en pleine connaissance de cause. Pas plus qu'une embolie, il ne permet de mettre en doute les « convictions » acquises au terme d'une longue quête.

Ces considérations ont un corollaire. Si Nerval était si soucieux de mettre un point final à ses écrits, étant donné sa fâcheuse habitude de faire la mise au point sur les épreuves, nous devons nous demander si les parties publiées après la mort ne témoignent pas d'un certain inachèvement. Or, nous constatons que, pour chacun des textes, la réponse est différente. Chaque cas sera donc examiné à part.

A partir de 1840, Nerval semble tourner autour d'un vaste projet qui ne serait autre qu'une autobiographie transposée, se rapprochant tantôt des *Confessions* de Rousseau, tantôt d'un roman de formation à la Gœthe. S'il n'a pas réussi comme Proust à bâtir une cathédrale, il n'en est pas moins vrai que les fragments plus ou moins importants publiés par lui : *Mémoires et Souvenirs*, *Bohême galante*, *Un roman à faire*, *Lorély*, *Pandora*, *Voyage en Orient*, *Sylvie*, *les Nuits d'Octobre*, *Aurélia*, jalonnent tout le cours de son expérience.

On trouvera ici évoqués quatre moments essentiels de l'Aventure nervalienne : l'enfance, le grand amour, le séjour à Vienne, la longue expérience de la folie. C'est la raison de l'ordre adopté.

PROMENADES ET SOUVENIRS

La publication de ce texte fut sans histoire. Il parut par fragments dans *l'Illustration*, le 30 décembre 1854, le 6 janvier et le 3 février 1855. *Le Constitutionnel* en donna également des extraits le 10 février. Le texte mentionnant le voyage en Allemagne de 1854, il faut en conclure que la mise au point fut rapide; mais du premier au dernier fragment se retrouve le même bonheur d'expression, comme si la rédaction était parachevée avant la date fatale. Selon J. Richer, Gérard voulait faire imprimer *Promenades et Souvenirs* à Saint-Germain chez Beau, et il semble faire allusion à la chose dans une lettre à son père du 2 novembre 1854.

Parmi les maîtres élus par Gérard, Rousseau occupe une place privilégiée. Il était naturel qu'il tentât d'écrire ses *Confessions*, mais, comme il avait peine à achever des œuvres de longue haleine, il était plus naturel encore qu'à l'ampleur des *Confessions*, il préférât, la forme fragmentaire et souple des *Rêveries du promeneur solitaire*.

Si tout lecteur est immédiatement sensible au charme de ces pages qui révèlent chez l'écrivain parvenu au terme de sa vie une merveilleuse maîtrise, il doit se garder des deux erreurs d'interprétation : la première est de méconnaître leur profonde mélancolie. Le ton en est assurément très divers : la suavité des souvenirs d'enfance contraste avec l'enjouement du promeneur qui ne recule pas devant des plaisanteries de commis voyageur. Gérard, mieux qu'aucun autre est fait pour exprimer le rire en pleurs. Plus encore que la plainte élégiaque, le caractérise cette délicate mesure qui lui permet de masquer l'aveu le plus angoissé sous la forme la moins pathétique.

D'autre part, Nerval faisant semblant de nous livrer en vrac les impressions et les incidents de quelques instants de sa vie, le lecteur est tenté de penser que l'écrivain avait trouvé là un filon singulièrement riche et que l'œuvre pouvait être continuée *ad libitum*.

Après la « lecture » de Ross Chambers, il n'est plus possible de voir dans ces fragments une série de divagations interrompues par le destin comme l'œuvre ultime de Jean-Jacques. Cette œuvre est achevée. A mesure que la lecture se fait plus attentive, la composition apparaît plus complexe et le texte plus riche. L'ensemble se présente comme un triptyque : les premier et troisième volets consacrés à des promenades encadrent un panneau central consacré à des souvenirs dont l'évocation se fait à la faveur d'une pause. On objectera que le triptyque n'est pas parfait, puisque le troisième volet ne comporte pas trois chapitres comme les deux autres, mais si Nerval n'a *pu* écrire le dernier chapitre, peut-être s'agit-il de motifs intimes et non du manque de temps, car les promenades du troisième volet affectées par les souvenirs qui précèdent présentent un caractère si mélancolique que le promeneur n'est pas parvenu au but.

Et, en effet, cette série de promenades est une quête, paradoxalement la quête d'un domicile, la recherche du havre qui mettra fin à l'errance du promeneur. Un des aveux les plus sincères de Gérard se fait sous cette forme peu élégiaque : « Je ne serai jamais propriétaire. » Si l'on se rappelle le rôle joué par la « maison » dans la vie et l'œuvre de Balzac et de George Sand, de Lamartine et de Hugo, on ne songera pas à

sourire. Tour à tour seront envisagés trois domiciles
de rêve : une villa pompéienne à implanter dans la
vigne de Montmartre, un château royal dont le promeneur se considère comme le légitime héritier, tel
Ravenswood, le héros de *la Fiancée de Lamermoor*, et
enfin une roulotte de bohémiens. Dans la réalité il
séjournera tout simplement à l'auberge, l'auberge de
l'Ange gardien.

Comme dans *Sylvie*, Gérard fuit Paris pour trouver
un asile dans le Valois. Les Promenades décrivent une
courbe qui éloigne le promeneur solitaire de la capitale
pour le conduire par une marche sinueuse au cœur de
la France et au centre de son univers. Mais cette
marche dans l'espace s'accompagne d'une régression
dans le temps, si bien que le Valois s'identifie à l'enfance. Pour résumer de façon nette le double progrès,
le promeneur solitaire parti de Paris (1850) évoque
successivement Montmartre (1840), Saint-Germain
(1830), Pontoise (1820), le Valois (1810).

Le choix des lieux privilégiés : Montmartre, Saint-
Germain, Pontoise, Saint-Leu, Chantilly, Senlis, s'ex-
plique par le fait qu'il s'agit de lieux élevés. Gérard
est à la recherche de l'air et de la lumière. Son rêve
est de voir se lever le soleil. « C'est sur les sommets,
note Ross Chambers, que disparaissent pour Nerval
tous les conflits de la vie. » Alors il découvre un autre
monde où l'on retrouve les premières amours.

En outre la vision syncrétique de Gérard et sa
remarquable culture lui permettent de joindre à chaque
lieu l'évocation de tel paysage et de tel souvenir littéraire, si bien que les promenades tournent toujours au
pèlerinage aux sources. Montmartre s'identifie à la
fois à Naples et au Valois, mais suggère aussi un rap-
prochement avec une scène de *Werther;* Saint-Germain,
en rappelant le souvenir des Stuarts, entraîne le rappel
de W. Scott et de Byron; évoquant ses premières
années, Gérard tient à nous dire que « *le Pastor fido*,
Faust, Ovide et Anacréon étaient ses poèmes et ses
poètes favoris »; il nous apprend qu'il a traduit pour
des belles Horace, Byron et Moore; qu'en écrivant des
lettres de tendresse, il s'inspirait de Diderot, de Rous-

seau et de Sénancour. Le château de Chantilly rappelle les Condés et le suicide de Vatel, mais Chantilly même rappelle le Purgatoire de Dante. A Senlis, l'apparition d'une roulotte suscite le souvenir de Gœthe, aussi important en définitive que celui de Rousseau, et il est permis de souligner qu'un des derniers fragments écrits par Gérard est un hommage à *Wilhelm Meister*.

Au cours des premières étapes : Montmartre et Saint-Germain, la fantaisie primesautière prédomine. Si le déshérité finit par pénétrer et coucher dans le château, c'est grâce à son astuce et à son bagou. Mais l'errance nocturne dans Saint-Germain amène Gérard à évoquer déjà ses premiers souvenirs d'enfance. C'est que, selon un processus typiquement nervalien, la grâce d'un chant rappelle à la mémoire un chant : la romance qu'aimait sa mère et que son père veuf et inconsolé se plaisait à chanter. Le panneau central, consacré spécialement à l'évocation des souvenirs, s'est révélé pour les biographes et les psychologues en quête du complexe d'Œdipe d'une richesse inépuisable. Mais il importe surtout de s'arrêter sur le choix même et d'observer avec Ross Chambers que la vie n'est pour Gérard, à l'exemple de Rousseau, « qu'une série d'exils, de paradis perdus ». L'ancêtre coupable se condamne lui-même à l'exil; la mère morte dans la fleur de l'âge est exilée à jamais dans le cimetière de Gross-Glogau; c'est du retour du père que date le début de son propre exil, et il s'identifie dans ses rêves enfantins aux deux grands exilés, Ovide et le Tasse (quel plus tragique exil que la folie!).

L'essentiel de son expérience réside dans les amours enfantines. Il vit à l'ombre des jeunes filles en fleurs. (Les prénoms charmants semblent provenir du roman de Challe : *les Illustres Françaises*.) Mais les quatre expériences retenues sont décisives et décrivent un crescendo significatif. Le premier amour, Fanchette, est tout entier situé sur le plan du rêve, et le déguisement, comme dans *Sylvie*, achève de lui conférer pureté et grâce. Avec Mademoiselle Nouvelle, Gérard s'initie tout à la fois à la magie du théâtre et à la présence obsédante d'un rival, donc à l'ambiguïté du réel.

Avec la Créole, il découvre le plaisir de chanter en vers la bien-aimée et de célébrer, en face de la beauté outragée par l'âge, la constance d'un amour vainqueur du temps et du destin.

L'amour constant ressemble à la fleur du soleil.

Si la cruelle se moque de son poète, ce n'est pas elle pourtant qui lui fera connaître la douleur; ce rôle capital dans son apprentissage est dévolu à Héloïse au nom significatif. Raymond Jean comme Ross Chambers insistent sur l'importance de cet épisode. On y voit le héros adorer une image, et le sourire de la femme réelle susciter, après un cri typiquement nervalien : Pardon, reine! un silence total, une inertie totale. Héloïse initie Gérard à la réalité. Il sait désormais que le rêve et la réalité s'opposent, et qu'il est condamné à une perpétuelle hésitation entre le rêve et le réel. Il sait surtout que, dans le rêve comme dans la réalité, il a perdu toute chance d'aimer. Le monde est désert! s'écrie-t-il avec le même accent pathétique que dans *Aurélia* : l'univers est dans la nuit!

C'est pourquoi le Voyage au Nord se déroule sous le signe de la mélancolie et de l'échec, puisque le retour au Valois n'est jamais achevé. Le « ubi sunt » médiéval est traduit sous la forme nervalienne : qu'est-elle devenue ? Qu'est-elle devenue, la pauvre Célénie! La Célénie de Chantilly ressemble évidemment à la Sylvie de Loisy : elle est la Velléda du pays des Sylvanectes. On remarquera à propos d'elle la plasticité, sinon la complexité de l'image féminine, puisque la charmante fillette du Valois est aussi la nixe germanique au rire ambigu, la Lorély. L'angoisse baigne donc l'évocation des années enfantines. Nous ne saurons pas ce qu'est devenue Célénie; mais à Chantilly, nous pénétrerons dans un cercle du purgatoire, « où se refont, dans un centre plus étroit, les actes de la vie passée ». « Qu'est devenue votre fille qui était si blonde et gaie? » demande le promeneur à son hôtesse. « Elle est morte », répond la mère. Plus mélancolique que la perte de l'être aimé apparaît ici la perte de l'être que l'on aurait pu aimer.

« Je l'aurais aimée, si à cette époque je n'avais eu le cœur occupé d'une autre. » C'est alors que se place l'allusion à la Fille de l'hôtesse, la vieille ballade allemande qui permet à Gérard de s'identifier au troisième compagnon : « Je ne t'ai pas connue... mais je t'aime et t'aimerai pendant l'éternité. »

L'apparition à Senlis de la roulotte et des « gens du voyage » semble apporter une détente à la mélancolie, en permettant à Gérard de rêver à la vie des comédiens errants exaltés par Scarron et Gœthe. Il peut pénétrer dans la maison mobile; il y découvre deux jeunes filles qui rappellent l'une Mignon, l'autre Philine. L'homme en quête d'un abri n'a-t-il pas trouvé la solution idéale, la synthèse du repos et du mouvement, du réel et du rêve ? Mais en deux lignes, tout est rejeté dans le domaine de l'impossible : « Il n'est plus temps d'obéir à ces fantaisies de la verte bohème; et j'ai pris congé de mes hôtes, car la pluie avait cessé. »

« Je ne sais rien de plus mélancolique que cette fin qui ne termine rien, conclut Ross Chambers, et qui annonce pourtant, très discrètement, qu'à la fin il n'y a rien. » De son côté, Nerval avait déjà observé : « Je ne connais rien de plus triste qu'un voyage inachevé. » Le voyage déclenche l'évocation des souvenirs, et les souvenirs évoqués empêchent l'achèvement du voyage.

Avant *Aurélia* une série d'œuvres semble préparer l'œuvre suprême, c'est-à-dire la quête triomphale, mais la préparer négativement. Elles se présentent en effet comme des errances sans issue, des expériences sans résultat, des psychomachies sans victoires. Les récits de ces tentatives vaines s'intitulent : *les Nuits d'Octobre, Sylvie, Pandora, Promenades et Souvenirs.* On dirait que l'âme en peine ne parvient pas à trouver le mot de passe malgré la diversité de ses essais. Mais disons-nous aussi que l'écrivain toujours lucide « varie » avec une aisance infaillible les données limitées de son expérience. « Chez lui, observe pertinemment J. Richer, l'inspiration est créatrice de formes. »

LETTRES A JENNY

On peut d'une certaine manière considérer les
lettres à Jenny Colon comme une publication commencée avant la mort de l'auteur, et achevée après.

Jenny mourut le 5 juin 1842. En décembre de la
même année, Nerval publia dans *la Sylphide* six de
ses lettres sous le titre *Un roman à faire*. La troisième
de ces lettres, la plus belle, celle sur la nuit napolitaine, fut republiée à part sous le titre *l'Illusion*, en 1845
dans *l'Artiste*, en 1853 dans *le Mousquetaire*, puis
insérée dans la nouvelle *Octavie* et, sous cette forme,
publiée dans *le Mousquetaire* du 17 décembre 1853 et
enfin en janvier 1854 incluse dans le recueil *les Filles
du Feu*.

Dans la partie posthume d'*Aurélia* (II, VI) se lit cette
phrase : « O bonheur ! ô tristesse mortelle ! ces caractères jaunis, ces brouillons effacés, ces lettres à demi
froissées, c'est le trésor de mon seul amour... Relisons...
Bien des lettres manquent, bien d'autres sont déchirées
ou raturées ; voici ce que je retrouve ! » Dans *la Revue
de Paris* du 15 février 1855 aucune lettre n'était citée,
et il y avait là une lacune. Pour le commun des mortels,
il semblerait naturel que le « trésor » consistât dans les
lettres *de* la femme. Mais le narcissisme romantique
aidant et étant donné que figurent dans le texte les
mots brouillon ou rature, que dans un autre passage
(II, II) le narrateur déclare avoir anéanti la dernière
lettre de sa bien-aimée, on peut admettre que Nerval
citait seulement un choix de ses propres lettres. Après
la mort de Gérard, Gautier et Houssaye publièrent
dans *la Revue de Paris* du 15 mars 1855 sous le titre
Desiderata un ensemble de dix lettres différant, à
l'exception de la lettre sur la nuit napolitaine, des six
publiées en 1842, ce qui portait le total à quinze. La
même année, les deux amis publièrent sous le titre *le
Rêve et la Vie*, un volume d'œuvres posthumes de
G. de Nerval parmi lesquelles figurait *Aurélia*. C'est
alors qu'ils prirent l'initiative d'insérer dans la lacune
du chapitre VI de la deuxième partie les dix lettres

publiées dans *la Revue de Paris*. Cet exemple a été longtemps suivi. Il a fallu, pour que l'on revienne au texte lacunaire que paraissent d'autres recueils de lettres. Ici l'histoire se complique encore. Il existait deux jeux de manuscrits : le manuscrit Sardou et le manuscrit Lovenjoul. C'est le premier qui permit la publication d'un ensemble de dix-huit lettres en 1902 dans *la Nouvelle Revue;* puis, en 1911, dans l'édition de la Correspondance procurée par J. Marsan. Or, ce manuscrit Sardou a disparu! Le manuscrit Lovenjoul conservé à Chantilly comporte seize lettres différant en partie de l'ensemble formé par le manuscrit Sardou. Si bien que, lorsque J. Richer a, pour l'édition de la Pléiade, voulu réunir toutes les lettres connues, il a complété les seize lettres de Chantilly par les lettres de l'édition Marsan reproduisant, on l'a vu, le manuscrit Sardou. Il est arrivé, ainsi, à un total de vingt lettres.

Ayons la probité de reconnaître que l'histoire de la liaison de Gérard et de Jenny reste mystérieuse et que les lettres à Jenny ne nous aident guère à tirer l'affaire au clair. Pendant longtemps Gérard adora de loin son idole. Il l'avait vue apparaître pour la première fois sur la scène, en 1833, semble-t-il. Il se consacra à son culte en lançant une revue pour célébrer la gloire de l'artiste, et en écrivant pour elle des pièces de théâtre. C'est en 1835 que fut fondé *le Monde dramatique;* c'est le 31 octobre 1837 qu'eut lieu la première de *Piquillo*. L'éditeur le plus attentif des *Lettres à Jenny*, J. Richer, a pu dater une des lettres de février 1838; et pour lui, l'ensemble des lettres connues appartient à l'hiver 1837-1838. De la lettre IV dans la version Lovenjoul, il tire la conclusion que Gérard et Jenny ont été amants. Or, le 11 avril 1838, Jenny épouse le flûtiste Leplus. Il s'agit donc d'une liaison très brève, si brève qu'on est tenté de comparer cette histoire d'amour à celle de Baudelaire et de la Présidente. Les deux poètes ont dit à tour de rôle leur surprise de découvrir, au lieu d'une idole, une femme. Mais gardons-nous de rien affirmer. Gérard insiste plusieurs fois sur le fait qu'il n'est plus jeune : comprenons

qu'il ne peut jouer le rôle d'amant de cœur. Il reste
deux autres rôles possibles, mais il n'est pas plus
capable de tenir l'un que l'autre, celui de protecteur et
celui de mari. Il est possible qu'un *rien* ait provoqué
la rupture.

Les lettres ont-elles été écrites pour être envoyées ?
Ont-elles été envoyées ? J. Richer répond dans les
deux cas par l'affirmative. Mais l'étude des manuscrits ne laisse pas d'être troublante. Gérard ne rédige
pas ses lettres d'amour d'un jet. Chaque lettre, comme
disait Balzac, est « l'élixir de plusieurs lettres essayées,
rejetées, recomposées ». Plus troublant encore apparaît
le fait que les lettres sont rangées en un ordre différent dans *Desiderata*, dans le manuscrit Lovenjoul
et l'édition Marsan, comme si l'ordre chronologique
n'avait aucune espèce d'importance. Il est difficile en
effet de tirer des lettres les éléments d'un récit retraçant
l'évolution des relations amoureuses.

Cette correspondance est née de l'introspection, et
ce sont les nuances de sentiment que l'écrivain s'efforce
de préciser. Mais l'amant romantique se complaît
aussi dans sa délectation morose. Le Narcisse aime
son tourment plus que la femme à conquérir. « C'est
une image que je poursuis, rien de plus », déclarera le
narrateur de *Sylvie;* mais dans les lettres l'image de la
femme reste floue; disons plutôt qu'elle n'apparaît
que sous les traits classiques de la coquette. Le personnage masculin est au premier plan. Le personnage
que Gérard compose, et est tout à la fois, est celui de
l'amoureux transi, de l'amant timide. Il chante sa
chanson du mal-aimé, sans avoir tout à fait le courage
de se dire qu'il aime mal. Il adopte volontiers une
attitude humiliée, et ne cesse de demander pardon. Il
fait étalage de sa soumission. Tout en reconnaissant
avec humour : « Ah! je le sais, les femmes aiment
qu'on les force un peu », il invite celle qu'il aime à
faire les premiers pas. La joie ou l'angoisse s'ex-
priment parfois avec une intensité inquiétante. « La
tête se courbe en frémissant comme sous le souffle de
Dieu », mais il ne s'agit là que de poncifs romantiques.
La tentation du suicide qui vient assaillir Gérard après

sa nuit d'amour dans la lettre napolitaine, n'est pour
J. Kneller qu'une imitation de Rousseau.

L'on constate enfin qu'il y a d'une lettre à l'autre
des redites. Les motifs développés dans les lettres I
et II du manuscrit Lovenjoul sont repris textuelle-
ment dans la lettre VIII et la lettre XIX de l'édition
Richer (lettre XV de l'édition Marsan). On peut en
conclure à l'exemple de J. Richer « que les brouillons
servirent à l'exploitation littéraire de sentiments vrais
dans leur principe ».

Le seul élément sûr dans toute cette histoire est le
fait que Nerval, admirateur de *la Nouvelle Héloïse* et
de *Werther*, a voulu écrire un roman par lettres et que
peu de temps après la mort de Jenny, il a publié
six lettres en les encadrant d'un prologue et d'un épi-
logue romanesques, où il imaginait sur le modèle de
Joseph Delorme la vie de leur auteur fictif. Ce *Roman à
faire*, publié dans *la Sylphide*, mérite qu'on s'y attarde,
puisque c'est la seule sélection des lettres authentique-
ment nervalienne, et qu'il permet de mesurer le degré
d'affabulation.

Des six lettres choisies (I, II, V, XI, XII, XIII), il
est dit que la correspondance fut interrompue tragique-
ment au moment où elle était « prête à sortir des
nuages du platonisme ». La lettre sur la nuit napolitaine diffère profondément de la première rédaction.
Son début a été entièrement modifié, et le récit de la
nuit a été déformé pour qu'il prenne un aspect étrange
et quasi fantastique. Le plus intéressant est que Gérard
porte sur cette correspondance un regard critique qui
associe la lucidité à l'humour. Il a eu l'idée de faire
mourir en 1808 — c'est-à-dire l'année de sa naissance
— le Dubourget qui est l'auteur supposé des lettres, et
il commente : « Les lettres n'ont de particulier que le
cachet d'un temps où Saint-Preux et Werther eni-
vraient les âmes de leurs sombres aspirations. » Il
écrivait cependant dans la lettre XIX : « N'attendez
pas de moi des phrases de roman ; je ne suis ni Saint-
Preux ni Werther, ou plutôt, je sens trop vivement pour
écrire comme eux des lettres éloquentes et ménagées. »
Ces lettres n'en sont pas moins éloquentes et ménagées

et témoignent du désir de pasticher Rousseau et
Gœthe. Dans *Pandora* le narrateur adresse à l'actrice
aimée une lettre « d'un style abracadabrant ». On
regrette que le style des lettres à Jenny ne soit pas
abracadabrant, car ce qualificatif signifie que nous
passons du plan de l'analyse à celui du rêve.

Dans ces « citations », ajoute-t-il, « apparaît l'éclair
d'une âme qui a réellement pensé et souffert ». Certes !
mais pourquoi faut-il que ce soit lui qui le souligne ?
Il va même jusqu'à conclure : « On ne peut mêler le
faux au vrai sans risquer une sorte de profanation. »
Cette plaisanterie d'un humour assez noir, puisqu'elle
se fait aux dépens d'une Cydalise (Où sont nos amoureuses ? Elles sont au tombeau) ouvre sur l'âme du
poète un jour inattendu.

Au dire de Heine, il avait une âme d'ange, mais cet
ange s'était incarné en un parfait homme de lettres. Il
connaissait trop bien la valeur et la vertu de ses phrases.
N'oublions pas l'aveu fait au début d'*Aurélia*. Lorsqu'il se croit amoureux d'une autre femme « j'empruntais, dit-il, dans cet enthousiasme factice, les formules
mêmes qui, si peu de temps auparavant, m'avaient
servi pour peindre un amour véritable et longtemps
éprouvé ». De la rédaction de la lettre d'amour à son
utilisation, romanesque ou autre, il n'y a pas de solution de continuité. Car cet homme de lettres est un
mythomane, et lorsqu'il joue au mystificateur, il est
fatalement victime de sa mystification.

Le jeu se déroulait sur deux portées, puisqu'il pouvait à la fois modeler le personnage de la femme et
créer son propre personnage. La malléabilité de l'image
féminine était telle que la même femme était apte à
jouer des rôles contradictoires. Quant à lui, il devenait
le héros de tous les romans ; mais, pour employer
son langage, le héros de roman finissait par se découvrir
un héros de tragédie. L'introspection — ou le délire
— décelait sous le fard de Pierrot une âme en peine,
déchirée par des postulations contradictoires et le jeu
devenait un combat spirituel. La Femme participait
à son tour à la psychomachie et pénétrait dans cet
univers polarisé. A l'*homo duplex* correspondait une

image antithétique de la femme. Le pouvoir d'envoûtement des archétypes s'alliant aux obsessions de l'*homo duplex*, le poète inspiré animait ces images fascinantes de la Femme fatale et de la Femme rédemptrice, auxquelles il donnait les noms de Pandora et d'Aurélia.

PANDORA

L'histoire de la publication de *Pandora* comparée à celle des *Promenades et Souvenirs* apparaît comme le pire des imbroglios. La nouvelle était achevée en 1853 : en novembre, Nerval apportera un changement au dénouement. Le guignon qui s'acharnait sur le poète fit que le journal *Paris* auquel la nouvelle avait été remise fut supprimé en décembre 1853. Après avoir offert en vain son texte à *l'Eclair*, il s'adressa à Dumas qui venait de lancer *le Mousquetaire*. En même temps il envisage de joindre la nouvelle aux *Filles du feu*, mais ce projet n'eut pas de suite. En revanche, le 31 octobre 1854, le début de *Pandora* paraît dans *le Mousquetaire*.

La fin aurait dû paraître le 25 novembre. Mais il n'en fut rien. Il fallut attendre le mois de septembre 1921 pour que conjointement P. Fontrailles (pseudonyme de P. Audiat) dans *l'Ere nouvelle* et A. Marie dans la *Revue hebdomadaire* exhument cette fin. En 1925, le même A. Marie publia la nouvelle sous forme de plaquette.

Or, cette fin avait été composée (on conserve à Chantilly un jeu des épreuves). Pourquoi Dumas dont l'amitié semble au-dessus de tout soupçon, a-t-il renoncé à la publier, contrairement aux autres amis qui s'employèrent si activement à révéler les inédits ?

La réponse gît évidemment dans la qualité du texte publié en 1921 : ce texte est incohérent et pourrait passer pour l'œuvre d'un fou. Quel florilège l'on ferait avec les lamentations des commentateurs sur le naufrage de cette belle intelligence! La nouvelle est rattachée tant bien que mal aux *Amours de Vienne*. Après une

entrée en matière qui semble extraite d'une lettre à
Dumas, figure — toujours sous forme épistolaire mais
adressée maintenant à Gautier — un long fragment
du *Voyage en Orient* dont le rapport avec l'histoire de
Pandora est loin d'être évident. Le lecteur curieux est
invité à replacer ce préambule au début de la première
partie. Puis le récit reprend, mais avec un trou manifeste entre les événements racontés dans la première
partie et la suite. On trouvait dans les manuscrits
Marie et Audiat divers fragments inédits, mais ces
variantes vues en gros ne faisaient que confirmer le
désordre mental de l'auteur.

Enfin le père Guillaume vint et dans un bel acte de
foi en le génie de Nerval refusa d'accepter la version
publiée en 1921. Il n'est pas facile de résumer sa
démonstration où se combinent de façon remarquable
l'audace, le flair et une minutie hors de l'ordre commun.

Pour des raisons qui à vrai dire ne laissent pas de
déconcerter, Nerval tenait absolument à faire précéder
son récit d'une note explicative de Dumas. Il lui
importait à la fois de rattacher *Pandora* aux *Amours
de Vienne* et de l'en distinguer. Il insistera maladroi-
tement sur le fait qu'il n'est plus tenu désormais au
secret, ou encore que les événements rapportés dans
Pandora se situent un an après ceux de la scène décrite
dans le passage cité. Soulignons ici qu'en raison de
son état de santé, de son internement, de la difficulté de
rencontrer Dumas, des va-et-vient du manuscrit, de
l'état même de ce manuscrit il n'était pas facile à
Nerval de faire appliquer ses consignes. Lorsque le
début de *Pandora* fut publié le 31 octobre, il eut une
double déception; la nouvelle paraissait sans préambule, la nouvelle était coupée en deux. Il insista alors
auprès de Dumas, lui expliquant comment *Pandora*
se rattachait aux *Amours de Vienne*, avec citation à
l'appui. Il semblait même souhaiter que la nouvelle
soit republiée *in extenso*, précédée de l'explication
liminaire. Par un absurde concours de circonstances,
si l'adresse à Dumas et la citation des *Amours de
Vienne* furent pieusement composées — ce que sans

doute Nerval ne souhaitait pas — un passage essentiel
du texte avait sauté. On devine le découragement et
l'exaspération de l'auteur à la vue de ces épreuves :
le remède était pire que le mal. S'il voyait sa demande
d'éclaircissement exaucée, en revanche et pour employer son langage, la sirène était affreusement muti-
lée. L'idée d'un veto de l'auteur apparaît toute naturelle, veto auquel Dumas se serait scrupuleusement
conformé avant et après la mort de Nerval.

Il s'agissait donc de rétablir le texte authentique. Le
père Guillaume, 1) écarte la citation des *Amours de
Vienne* et tout ce qui la précède ; il n'envisage même
pas de la déplacer en tête : « ce long hors-d'œuvre, où
qu'on le situe, distend la nouvelle » ; 2) malgré le pes-
simisme de Fontrailles pour qui « vraisemblablement,
il ne sera jamais possible de combler la lacune de la
deuxième partie », constate que dans le manuscrit
Marie, les folios $5 + 11 + 10$ constituent précisément
la partie disparue du texte ; 3) supprime la division en
deux parties, car après restitution de la version correcte,
l'œuvre apparaît parfaitement cohérente et continue.
Il n'est plus possible désormais de parler de « morceaux disparates et déséquilibrés ». La nouvelle est un
modèle de « Fantasienstück », et l'on ne saurait prendre
pour désordre mental la fantaisie du conteur enthou-
siaste.

Nerval transpose donc sous forme romanesque son
séjour à Vienne en 1839. Les souvenirs de Weill, sa
propre correspondance confirment la double vie qui
est décrite : à la fois besogneuse et brillante. Il passe
tour à tour des quartiers populaires et des amours
faciles aux salons de l'Ambassade où il côtoie les
mondains les plus huppés et participe aux jeux de
société. Mais que penser de son aventure avec la
Pandora ? Ses relations avec Marie Pleyel sont aussi
mystérieuses que celles avec Jenny. Un point est à
souligner : la version des faits dans *Aurélia* est toute
différente et prête à Marie Pleyel un rôle opposé, fait
de compréhension et de gentillesse, qui devient plus
généreux encore lorsque l'action se déplace de Vienne
à Bruxelles. Les deux versions de l'aventure sont-elles

également fictives ? Si la version d'*Aurélia* est la bonne,
pourquoi dans *Pandora* cette crise de fureur ? Nous
avons conclu précédemment que l'auteur modelait à sa
guise le personnage de la femme et que le parti choisi
dépendait à la fois de son propre état d'âme et de la
tonalité de l'œuvre en préparation.

Les biographes se sont mis à l'œuvre : leurs recherches à vrai dire se sont poursuivies dans des directions
opposées. Tandis que les uns confirmaient chez Marie
Pleyel ce caractère de coquette, voire de femme fatale :
Berlioz, Musset et ses amis l'avaient appris à leurs
dépens, d'autres, jugeant ce portrait composite et
manifestement transposé, identifiaient des éléments
venus d'ailleurs : on a proposé comme modèle Jenny
Lutzer, parce qu'elle chantait à l'Opéra de Vienne,
Mme Schenk, à cause de sa « voix de basse superbe »,
Esther de Bongars, autre maîtresse attribuée à Nerval,
à cause de sa coiffure, etc. Ces recherches biogra-
phiques, si elles continuent de passionner les cher-
cheurs, n'apportent pas de lumières décisives. Il
importe davantage en effet de définir les caractères
esthétiques de la nouvelle et de saisir le processus de
« mythification » par lequel s'opère le passage de la
représentation réaliste au mythe.

Pandora est une « vedette » capricieuse maniant
comme des pantins les hommes qui lui font la cour.
Musset avait déjà mis en scène ce type de femme : telle
la Camargo des *Marrons du feu*, qui pour victime a
précisément un abbé. Celui qui dit « je » tient le rôle que
Gérard s'attribuait volontiers : il n'est qu'un Pierrot
jouet d'une coquette. Celle-ci se plaît à l'humilier :
c'est parce qu'il a l'air d'un petit prêtre qu'elle en fait
son favori d'un jour. Elle se réjouit de sa maladresse
dans le monde, ne lui tient pas parole, lui reproche
les complications dont il n'est en rien responsable. Le
Pierrot noir lassé de sa servitude prend la fuite.

Cette intrigue d'un romantisme banal est située dans
un cadre et une atmosphère beaucoup plus séduisants.
La nouvelle est écrite en marge de Hoffmann. En 1831,
Gérard avait publié dans *le Mercure de France*
un fragment de la traduction des *Aventures de la nuit*

de la saint Sylvestre. S'il change le lieu, il conserve
la date qui est à l'origine de la tonalité humoristique
et étrange du récit : « Le diable, écrivait Hoffmann
traduit par Gérard, me réserve toujours pour le soir
de saint Sylvestre un singulier régal de fête : il (...)
s'en vient, avec un rire odieux, déchirer mon sein de
ses griffes aiguës. » Les affres du héros sans le sou dans
l'atmosphère de liesse du Jour de l'an, sont dépeintes
sur un ton particulièrement heureux où le désespoir
prend le masque de l'humour; la réception à l'ambassade, les jeux de société, les maladresses du Pierrot sont
décrites avec plus de vivacité encore. Tout le long du
récit des rencontres bizarres, des allusions érudites,
des souvenirs, provoquant un cliquetis de noms
propres et de mots étrangers, ajoutent à cet humour
une poésie particulière dont Apollinaire s'efforcera de
retrouver le secret. La double évocation de la taverne
des Chasseurs, l'exclamation qui est une citation :
Diable de conseiller intime de sucre candi, la séquence
onirique accentuent l'aspect hoffmannesque. Mais l'influence plus ou moins directe de Hoffmann se fait
sentir jusque dans la représentation de Pandora. En
1851 avaient été créés *les Contes d'Hoffmann* (la
musique n'était pas encore d'Offenbach). Le succès
fut tel qu'en 1852 on donna à l'Opéra *la Poupée de
Nuremberg*, imitation de la première œuvre : il s'agissait dans l'un et l'autre cas de variation sur le thème
du conte *l'Homme au sable;* un fabriquant d'automates
anime une poupée dont s'éprend un jeune homme.
J. Richer a démontré que Gérard aurait souhaité illus-
trer sa nouvelle à l'aide de vignettes publiées en 1852
dans *l'Éclair* et qui avaient été inspirées par l'opéra-
comique, *la Poupée de Nuremberg*. Il émet même l'hypothèse séduisante que certaines vignettes auraient pu
suggérer des scènes de *Pandora*. Dégageons surtout
l'idée importante que dans l'imagination de l'auteur
l'artificieuse Pandora est une femme artificielle, que l'on
passe donc aisément du thème hoffmannesque de l'auto-
mate à la légende grecque de Pandore fabriquée sur l'ordre de Jupiter par Vulcain (la troisième vignette représente justement la création de la femme par le diable).

Le personnage de la femme artificieuse acquiert dans l'imagination hantée de sa victime des proportions mythiques et tout naturellement il est fait appel aux figures historiques ou légendaires qui symbolisent la femme fatale : Jésabel, la courtisane Impéria, déjà utilisée dans *l'Imagier de Harlem*, Catherine de Russie, Iphigénie en Tauride. « On me trancha la tête » peut faire penser au mythe d'Hérodiade. L'ami que le narrateur tape appelle sa propre maîtresse Dalilah. Nerval — l'exemple de Vigny le prouve — aurait pu aussi bien choisir celle-ci comme archétype. Il a préféré Pandora. Son choix, nous venons de le voir, était en quelque sorte imposé par le caractère hoffmannesque de sa nouvelle. Il était confirmé en outre par le fait que la légende de Pandora était liée à celle de Prométhée et que de la sorte à la mythification de la Femme répondait parallèlement celle du héros-victime. Le Pierrot se muait en Prométhée.

R. Trousson a montré dans son étude comparative du mythe de Prométhée que le supplice du titan représentant les souffrances de l'amant (Je suis ton Prométhée et tu es mon vautour, lit-on dans les sonnets à Hélène), comme Pandora image de la femme cruelle sont des thèmes chers aux poètes de la Renaissance. Dans son étude sur les Poètes du XVIᵉ siècle, Nerval cite un fragment de la *Pandore* de Grégoire de Tours. Il n'ignorait pas non plus que Gœthe avait écrit des fragments dramatiques sur Pandora et sur Prométhée. Il avait dans les *Souvenirs de Thuringe* analysé le *Prométhée délivré* de Herder mis en musique par Liszt.

Malgré tout, la légende est relativement peu connue et elle apparaît à la fois flottante et obscure en ce qui concerne les rapports de Prométhée et de Pandora. Pour nous en tenir au texte de la nouvelle, nous constatons que Pandora est définie par sa boîte, « sa boîte à malice ». « Et la boîte fatale, qu'en as-tu fait », demande le narrateur à la fin de la nouvelle ? On trouvait une allusion plus précise à « la boîte fatale d'où tous les maux se répandirent sur la terre » dans une première version du dénouement. La boîte fatale symbolise la femme fatale et Pandora s'en sert pour tenter Prométhée : « Je l'ai remplie pour toi des plus beaux joujoux de Nuremberg. Ne viendras-tu pas les admirer ? »

Le texte nous offre une deuxième allusion capitale. Il est dit dans la lettre abracadabrante : « Je lui rappelais les souffrances de Prométhée, quand il mit au jour une créature aussi dépravée qu'elle. » Nerval semble donc, parmi les versions de la légende, retenir celle qui lie le plus Prométhée à Pandora. Jupiter, dans la version la plus courante, utilisait Pandora comme instrument de sa vengeance à l'égard de Prométhée voleur de feu. Ici, la situation se complique et s'approfondit puisque le Titan semble se faire l'artisan de son propre destin. J. Richer a relevé dans le livret de *la Poupée de Nuremberg* cette réplique : « Nouveau Prométhée... je lui donnerai le mouvement... la parole. » Nerval du reste ne faisait que suivre l'exemple de Voltaire.

En outre dans un début brillant et mystérieux, le narrateur applique à Pandora « l'indéchiffrable énigme gravée sur la pierre de Bologne ». Quiconque fréquente la « bibliotheca esoterica » s'attend à noter les recoupements les plus étranges. C'est ainsi que J. Richer a découvert que l'énigme figurait dans le « *Theatrum chemicum* » de N. Barnaud, et qu'en 1582, Reussner avait publié une œuvre alchimique intitulée *Pandora*. La nouvelle comporte-t-elle donc un sens ésotérique ? Nerval ne cite dans *Pandora* qu'un bref fragment de l'énigme. En revanche, dans une ébauche de nouvelle *le Comte de Saint-Germain*, il reproduit et le texte latin original et la traduction française. N. Rinsler a démontré que les versions reproduites ne sont pas celles de Barnaud, mais celles de F. M. Misson, auteur d'un *Nouveau Voyage d'Italie* (éd. de 1731), ouvrage qui n'a rien d'ésotérique. J. Guillaume observe de son côté que, si Pandora a fini par désigner la pierre philosophale, c'est en tant que *munus omnium generale*, car selon une version courante elle avait été ornée de tous les dons par les dieux. Le sens de la figure mythique dès lors n'a plus rien de péjoratif. La nouvelle exige au contraire que Pandora soit un monstre. L'énigme

qui unit les contraires, signifie que Pandora échappe
à toute définition, suggérant ainsi l'idée de monstre.

Dans un bel article sur *Nerval et l'amour platonique*, F. Constans montre que Nerval est obsédé par
l'opposition de la sensualité à l'amour. L'image de
la femme fatale prend l'aspect formidable d'une
incarnation féminine du Démon. Le narrateur, comme
le héros du *Diable amoureux*, se laisse fasciner par sa
Biondetta : il n'aime qu'elle, tout en sachant qu'elle
est un monstre infernal. Avec ses cornes et ses pieds
serpentins, elle est proche de la figure de Derceto, la
déesse syrienne qui hanta l'imagination du poète.
Pandora s'identifie à la Luxure.

Dans une imagination poétique, la représentation de
la Femme est toujours polarisée. En face du monstre il
y a l'Ange, l'Autre, qui protège contre les charmes de
l'artificieuse Pandora. Cette « autre » varie selon les
contextes : se rapprochant tantôt de Jenny, comme c'est
le cas dans *Aurélia*, tantôt d'un modèle que nous
connaissons mieux grâce aux travaux d'E. Peyrouzet,
Sophie, la cousine de Saint-Germain qui porte le
même prénom que l'archiduchesse autrichienne.

Mais il est évident que dans ce contexte-ci et même
si, comme l'observe le P. Guillaume, la tentation est
finalement repoussée, Pandora apparaît triomphante
comme la Grande Prostituée de l'Apocalypse.

La violence du combat spirituel cependant n'est
pas diminuée par l'effacement de l'autre. La clé de la
nouvelle n'est pas dans l'énigme de Bologne, mais dans
la formule de Gœthe que Nerval a choisie pour épi-
graphe et traduite avec une telle liberté qu'il en a
modifié le sens pour la rendre plus nervalienne. L'*homo
duplex* est en proie à une double postulation. Au corps
attaché à la terre s'oppose l'âme animée, non pas d'un
mouvement frénétique comme dit Gœthe, mais surnaturel, qui l'entraîne loin des ténèbres. Le moi de
Nerval est le théâtre d'une psychomachie, mais on
devine que le combat entre amour platonique et
amour charnel n'est en fait que le symbole d'un
combat plus profond entre l'Esprit et la Matière, l'in-
dice d'une dualité de nature. J. Richer cite avec raison

l'admirable remarque de Saint-Martin : « Cessons de croire que l'homme soit à sa place ici-bas : il est attaché sur la terre, comme Prométhée, pour y être déchiré par le Vautour. » On notera dans la conclusion de la nouvelle le pathétique paradoxe : « Je sens encore à mon flanc le bec éternel du vautour dont Alcide m'a délivré. » Nerval est un Prométhée que ne peut délivrer aucun Hercule. Il est l'éternel supplicié.

Il est possible désormais d'aborder en toute sérénité le problème : quel est le sens de *Pandora?* Dans quelle mesure s'oppose-t-elle à *Aurélia?* S'agit-il de la fatale oscillation qui précipite l'âme divisée tantôt vers le ciel, tantôt vers l'abîme ? *Aurélia*, l'œuvre suprême, décrit le triomphe de la lumière sur les ténèbres. Ici tout est sombre, mais non pas parce que les ténèbres ont triomphé de la lumière. L'âme captive aspire toujours à la délivrance, mais l'on dirait qu'en raison de son aveuglement ou de sa faiblesse, elle ne sait ni voir ni utiliser les moyens dont elle dispose pour son salut. Le narrateur réprime ce qui s'épanouira dans l'œuvre testamentaire.

Nous avons vu que le rôle de la femme auxiliatrice était réduit à la portion congrue. Si la tentation est surmontée c'est plus par la fuite du pécheur que par l'intervention de la sainte.

La séquence onirique témoigne d'un recours au rêve analogue à celui que nous retrouverons dans *Aurélia;* nous passons des cauchemars les plus sombres aux rêves les plus consolants, et selon un manuscrit, cette séquence était déjà intitulée *Mémorables*. A l'accusation forcenée contre la Femme responsable de la fin du monde succède le supplice du héros condamné à la décapitation. Un perroquet lui permet de survivre, et le rêve se transporte à Rome. Malgré la présence d'Impéria-Jésabel qui incite ses fidèles à la prostitution, la Démone a disparu pour l'éternité. Déjà le Déluge n'est plus qu'un opéra. Le passage du cauchemar au rêve béni, analogue aux visions si consolantes des *Mémorables*, s'achève après un dernier transfert dans l'île des Amours. Le héros transfiguré revient à la vie grâce aux soins de trois jeunes filles, qui avaient oublié la langue des hommes. « Salut, mes sœurs du ciel, leur dis-je en souriant. » Mais la valeur de ce rêve dépend de sa place dans le récit; c'est la « composition » qui permet d'interpréter avec justesse le sens de l'œuvre. Les *Mémorables* ne se situent pas ici au sommet : la séquence onirique prend place entre la grande humiliation de la représentation manquée et le rendez-vous avec Pandora qui ne correspond guère au plaisir attendu. Dans l'une et l'autre scène, nous retrouvons le même adverbe : j'allais me réfugier *honteusement*... il fallut la ramener *honteusement*... Sous le poids de la honte, l'âme ne participe pas à l'essor rêvé.

Enfin Nerval a tenu à modifier le dénouement. Après la fuite du narrateur à Salzbourg, le récit s'achevait par ces quatre lignes : « La trompeuse Pandora n'avait pas daigné même ouvrir la boîte fatale d'où tous les maux se répandirent sur la terre et je repris loin d'elle la course agitée d'une vie consacrée désormais à l'humilité. » Les derniers mots, essentiels, suggéraient l'idée d'une conversion. La version définitive donne à la nouvelle une conclusion beaucoup plus pathétique. Après un an d'intervalle le héros et Pandora finissent par se retrouver. Ni l'un ni l'autre n'a changé, et leurs propos acerbes prolongent les divagations de la lettre abracadabrante. Le « sourire divin » que Nerval attribue ailleurs à Sylvie dégénère ici en sarcasmes. Il n'est pas impossible que la question : « Où as-tu caché le feu du ciel que tu dérobas à Jupiter ? » voile une allusion humiliante traduite en clair dans *Aurélia :* « On semblait autour de moi me railler de mon impuissance. » L.-H. Sebillotte a vu là l'explication de la fureur de Gérard contre Marie Pleyel. Le héros, éternel supplicié, ne répond pas à la femme; c'est au Dieu cruel qu'il s'en prend dans une exclamation angoissée : « O Jupiter! quand finira mon supplice ? »

Ce mot de la fin rappelle la conclusion d'œuvres contemporaines de l'achèvement de *Pandora :* la conclusion d'*Octavie :* « O mystère de l'âme humaine! Faut-il voir dans un tel tableau les marques cruelles de la vengeance des dieux! » Dans *le Comte de Saint-*

Germain le ressuscité, après avoir levé vers le ciel un regard irrité, s'écrie en baissant la tête et pleurant : « Jéhovah! Jéhovah! mon père... ne t'es-tu pas assez vengé? » Nerval semble obsédé par l'idée de la vengeance des dieux, qui se manifeste par la malédiction paternelle. Chez lui comme chez Baudelaire se devine la hantise de l'irrémédiable.

Dès lors on aperçoit clairement où réside l'opposition entre *Pandora* et *Aurélia* :

Pandora est l'œuvre d'un Nerval-Prométhée,

Aurélia est l'œuvre d'un Nerval-Orphée.

Pour mieux saisir la différence entre les deux figures mythiques, transposons la liturgie intime en langage biblique. Il est tentant assurément de retrouver ici l'antagonisme de Caïn et d'Abel, familier à l'imagination nervalienne. Mais le P. Guillaume remarque judicieusement que le prométhéisme de Nerval met l'accent sur le supplice de Prométhée plus que sur sa révolte. L'exclamation de Pandora : « O fils des dieux, père des Hommes! » au-delà de l'effet rhétorique, le jeu sur les mots père et fils, ne peut pas ne pas rappeler celui qui est Fils de Dieu et Sauveur des hommes. Dans l'univers imaginaire de Nerval, au Christ vainqueur des Enfers célébré dans *Sylvie* et *Aurélia* s'oppose le Christ aux oliviers.

C'est Orphée qui correspond au Christ vainqueur de l'Achéron, cependant que Prométhée représente « l'éternelle victime » que nul n'entend gémir. Par-delà les années Nerval apparaît hanté par le même Songe. Le mot de la fin : « O Jupiter! quand finira mon supplice ? » est en langage païen la traduction fidèle de la plainte la plus tragique qui ait été proférée : Mon Dieu, pourquoi m'avez-vous abandonné ?

AURÉLIA

L'histoire posthume d'*Aurélia* est la plus étonnante de toutes. Donc à l'aube du 26 janvier 1855 Nerval est trouvé pendu. Le 15 février la suite et fin d'*Aurélia* paraît dans *la Revue de Paris*, avec cette note de la

Direction : « Nous publions le dernier travail de Gérard de Nerval, tel qu'il nous l'a laissé, en respectant, comme c'était notre devoir, les lacunes qu'il avait l'habitude de faire disparaître sur les épreuves. » Aussitôt une légende est répandue par les amis mal informés : le texte de la deuxième partie aurait été trouvé sur le cadavre. Une lettre de L. Ulbach fait justice de cette légende macabre : le texte avait été remis à la revue et des épreuves composées, mais elles n'étaient pas toutes parvenues entre les mains de l'auteur qui n'avait pu les corriger. Pour accréditer la légende, lorsque *Aurélia* fut publiée en 1855 dans le volume intitulé *le Rêve et la Vie*, les amis du poète avaient fait suivre la phrase finale d'une ligne de points, signifiant que la rédaction avait été interrompue par la mort. En 1867 encore, Gautier n'hésite pas à déclarer que « vers la fin de la seconde partie... le rêve se change en cauchemar... On sent que le dénouement approche et que ce dénouement sera fatal. » Ce commentaire témoigne d'une lecture bien hâtive, car il est évident que l'œuvre a une conclusion positive et que la fin répond au commencement. Cela dit, il est indiscutable que Nerval rédigeant son texte sur des bouts de papier, le classement n'en était pas facile sans sa participation ; qu'achevant la mise au point sur épreuves, il n'a pas fait cette mise au point pour la deuxième partie : il a laissé une lacune où devaient figurer des lettres (c'est là, nous l'avons vu, que furent insérées en 1855 les dix lettres publiées le 15 mars dans *la Revue de Paris* sous le titre *Desiderata*); que les *Mémorables* furent ajoutés après l'impression des épreuves ; que certains passages ne semblent pas à leur place. Il n'est pas interdit de penser que dans le désordre du manuscrit figuraient encore côte à côte deux conclusions différentes, l'une : « C'est ainsi que je m'encourageais à une audacieuse tentative... », brève et ayant l'avantage de correspondre parfaitement au premier paragraphe de l'œuvre ; l'autre : « Telles étaient les inspirations de mes nuits... », plus longue et ouverte, qui n'était pas sans rappeler le *Dernier Feuillet* de *Sylvie*. Bref, si l'œuvre est conçue selon un plan rigoureux, dans la dernière partie la mise en place des développements n'est pas achevée. Il en est de même pour *le Temps retrouvé* de Proust.

Le deuxième sujet de débat est plus important encore. En 1962 furent révélés les manuscrits Lucien Graux qui, s'ajoutant à d'autres fragments déjà connus mais considérés jusqu'alors comme des variantes, apportèrent une confirmation éclatante à l'hypothèse de J. Richer qu'il existait une rédaction primitive d'*Aurélia* datée par lui de 1841.

L'importance d'*Aurélia* se trouvait donc singulièrement accrue : plus qu'une œuvre écrite *in articulo mortis*, elle devenait l'œuvre de sa vie. En fait ce point de vue est lourd d'équivoque. Ou plutôt le problème soulevé est tout différent pour celui qui veut recomposer l'univers imaginaire de Nerval, définir son mythe personnel, et pour celui dont le souci majeur est de défendre l'autonomie de chaque œuvre. L'exemple de Flaubert nous aide à préciser ce point : avant *l'Education sentimentale* de 1869, Flaubert avait écrit une première *Education sentimentale*. On peut soutenir assurément que Flaubert a commencé son roman quand il a rédigé sa première version. Mais n'est-il pas plus juste de penser que le roman n'a été vraiment commencé que du jour où Flaubert a découvert l'idée directrice et le plan de sa somme romanesque ? Comme Gautier, quoique d'une autre manière, J. Richer trahit l'œuvre en tant qu'œuvre d'art. Donc si intéressant qu'il soit de voir apparaître dès 1841 des thèmes que l'on avait tendance à rattacher à la grande crise de 1853, il est plus intéressant encore de chercher comment s'est imposée la structure de l'œuvre.

Quand Nerval rédigeait la version primitive d'*Aurélia*, quel dessein poursuivait-il ? Le poète maudit s'est toujours interrogé sur son destin; il a voulu écrire sa biographie « en langage de destin », selon la lumineuse formule de Malraux. La première crise de folie orienta ce projet en un sens plus original encore, et J. Richer a noté avec raison que « la genèse d'*Aurélia* est en relation étroite avec l'élaboration par Gérard du mythe de ses origines individuelles et familiales ».

Celui-ci tend donc à confondre le récit de sa vie et le
récit de ses délires, une érudition intempérante ne
cessant par surcroît de tout envahir. Dans la lettre
capitale adressée le 9 novembre 1841 à Ida Dumas, il
est une phrase qui retient l'attention : « Il me sera
resté du moins la conviction de la vie future et de la
sympathie immortelle des esprits qui se sont choisis
ici-bas. » Ainsi Nerval, faisant bon usage de sa maladie,
avait dès 1841 tiré de l'expérience de la folie des
convictions spiritualistes. Et ceci vient affirmer l'aspect le plus hardi de la thèse de J. Richer, que les
Mémorables remonteraient en partie à la première
rédaction.

Lors de sa rechute, douze ans après, Gérard fut
expressément encouragé par son médecin, l'éminent
aliéniste Blanche, à tenir registre de ses visions. Mais
il semble que désormais à l'interrogation pathétique
sur son destin se joigne un souci altruiste qui du reste
est double, à la fois scientifique et, si l'on peut dire,
évangélique. A la fameuse déclaration : « La mission
d'un écrivain est d'analyser sincèrement ce qu'il
éprouve dans les graves circonstances de la vie », il
convient d'adjoindre et l'aveu à son père dans une
lettre du 2 décembre 1853 : « J'entreprends d'écrire et
de constater toutes les impressions que m'a laissées ma
maladie. Ce ne sera pas une étude inutile pour l'observation et la science », et cette autre déclaration dans
Aurélia même : « Je croirais avoir fait quelque chose de
bon et d'utile en énonçant naïvement la succession des
idées par lesquelles j'ai retrouvé le repos et une force
nouvelle à opposer aux malheurs futurs de la vie. »

Aurélia sous sa forme définitive présente bien ce
triple aspect : 1) une observation méthodique des phénomènes du sommeil et de la folie; 2) une autobiographie stylisée; 3) l'histoire d'une âme en quête de
la paix.

Cet itinéraire spirituel, il l'appelait « descente aux
enfers », notion qui n'était pas un acquis récent,
puisqu'on peut remonter au-delà de la version primitive d'*Aurélia*, à l'époque où il rédigeait la préface
au *Second Faust :* il assimilait déjà la tentative de

Faust pour ravir l'ombre d'Hélène à la descente d'Orphée aux enfers.

Mais c'est la liaison de ces trois aspects qui importe, et cette liaison nous paraît à la fois essentielle et tardive. On le verra mieux quand aura été abordé un troisième sujet de débat.

Nerval interné d'août 1853 à mai 1854 à la clinique de Passy, voyagea en Allemagne de mai à juillet, et en août regagna la clinique du docteur Blanche. C'est au cours de cette période qu'il rédigea la version définitive d'*Aurélia*. Les lettres écrites durant le voyage font de fréquentes allusions à l'ouvrage en cours. J. Richer conteste l'importance du travail accompli en cours de route, à cause de l'aveu contenu dans la lettre du 14 juillet : « Est-il possible du reste que dans un voyage si rapide j'eusse pu écrire beaucoup de lignes comme je m'en étais flatté ? » Encore qu'on voie mal pourquoi dans le cas d'un cyclothymique les aveux faits en période d'exaltation auraient moins de valeur que ceux faits en période de dépression, acceptons la thèse que la version définitive fut surtout rédigée avant et après le voyage. Mais parmi les déclarations optimistes, il est une formule d'un autre ordre qu'il convient de mettre en valeur : « J'ai dû beaucoup *refaire* de ce qui avait été écrit à Passy... Cela est devenu *clair*, c'est le principal. » Ces mots sont à rapprocher de la préface des *Filles du feu* où Nerval annonce la composition d'*Aurélia :* « Une fois persuadé que j'écrivais ma propre histoire (il s'agit de l'aventure de Brisacier, héros du *Roman tragique*), je me suis mis à traduire tous mes rêves, toutes mes émotions, je me suis attendri à cet amour pour une *étoile* fugitive qui m'abandonnait seul dans la nuit de ma destinée, j'ai pleuré, j'ai frémi des vaines apparitions de mon sommeil. Puis un rayon divin a lui dans mon enfer ; entouré de monstres contre lesquels je luttais obscurément, j'ai saisi le fil d'Ariane et dès lors toutes mes visions sont devenues célestes. Quelque jour j'écrirai l'histoire de cette « descente aux enfers », et vous verrez qu'elle n'a pas été entièrement dépourvue de raisonnement si elle a toujours manqué de raison. »

C'est seulement le jour où il a saisi le fil d'Ariane que Nerval commence à écrire *Aurélia*. Efforçons-nous à notre tour de saisir ce fil conducteur, c'est-à-dire de déceler les structures de l'œuvre.

I. *Aurélia* est une « étude de l'âme humaine ». Nerval toujours soucieux de « filiation littéraire » se réclame de trois auteurs : Apulée, Dante et Swedenborg. Il tient à noter à propos du dernier que celui-ci devait ses visions à la rêverie plus souvent qu'au sommeil, donc au rêve éveillé plus qu'au rêve endormi; c'est pour définir par contraste sa propre originalité. Son étude de l'âme se fonde sur l'étude du rêve. Originalité toute relative pour quiconque connaît bien soit le fantastique romantique, soit les doctrines psychiatriques de l'époque, soit les spéculations des illuminés sur les « phénomènes du sommeil ». Par rêve, il entend non seulement le rêve endormi, mais encore le délire, les visions de la démence. La formule fameuse « l'épanchement du songe dans la vie réelle » signifie qu'un fou est un homme qui ne cesse pas de rêver, puisqu'il rêve même à l'état de veille. D'autre part il professe la théorie que le rêve et le délire sont des états privilégiés qui permettent d'accéder à ce qu'il appelle d'une façon équivoque le monde « externe » et qui n'est autre que le monde des esprits. Le Rêve apporte des Révélations.

Nous trouvons donc côte à côte dans *Aurélia* des observations quasi scientifiques : sur les phénomènes de dédoublement (fin du chapitre III), sur le fait que « dans les rêves on ne voit jamais le soleil », que « les objets et les corps sont lumineux par eux-mêmes », et des révélations spiritualistes. Celles-ci se caractérisent par le mélange de révélations, si l'on peut dire, banales, mais qui n'en sont pas moins les plus importantes, à comparer aux thèmes développés par Lamartine dans *la Vigne et la Maison* : l'immortalité de l'âme, la certitude de retrouver ailleurs ceux que nous avons aimés dans le cadre que nous avons aimé, et de révélations plus déroutantes qui témoignent de convictions illuministes : « tel esprit du monde extérieur s'incarn(ant) tout à coup en la forme d'une personne ordinaire... les aïeux pren(ant) la forme de certains oiseaux... les événements terrestres coïncid(ant) avec ceux du monde surnaturel... » et autres variations procédant de la vision analogique de l'univers. L'attitude de Nerval est celle des Illuminés du XVIIIe siècle : ses convictions spiritualistes se fondent sur l'*expérience*.

La technique du récit nervalien — l'étude de *Sylvie* le montre clairement — comporte la dissociation du narrateur et du héros : le « je » qui raconte se regarde vivre sur divers plans de la durée. Ici nous retrouvons la même technique, mais compliquée du fait que le « je » narrateur est un « je » revenu à la santé qui s'efforce de raconter l'expérience d'un malade, ou plutôt et à la fois le « je » d'un homme réveillé qui raconte les rêves d'un homme endormi, le « je » d'un homme raisonnable qui raconte les délires d'un fou. Le texte oppose d'une façon très expressive l'attitude du héros qui se prend précisément pour un « héros vivant sous le regard des dieux », à celle du narrateur que semble déconcerter la mission dont il est investi. Si ce dernier prend de plus en plus conscience de l'audace de sa tentative, s'il emploie toutes les forces de sa volonté, s'il n'est question que de forcer des portes, de dominer, de dompter des chimères attrayantes et redoutables, dès qu'il s'agit de traduire en mots l'expérience ineffable, il apparaît au contraire paralysé, comme si le langage n'était pas fait pour traduire l'expérience du rêve, comme si les signes dont il est doté étaient impuissants contre les armes des monstres qui l'assaillent. Alors il multiplie les précautions oratoires : il me semblait... selon ma pensée... ce que j'avais cru rêver... et, en face de la déclaration héroïque : il me semblait tout savoir, tout comprendre, les aveux d'impuissance : je ne puis rendre... je n'ose attribuer... je ne puis citer... je ne sais comment expliquer... Comment traduire en langage humain l'illusion, puisque le langage détruit l'illusion ?

Il adopte le parti qui a été celui de tous les visionnaires : il raconte ses visions. Il va sans dire que rêves et délires ont été longuement élaborés. Il a recours à deux moyens singulièrement efficaces pour faire pénétrer le lecteur dans son univers de rêve. Il utilise l'érudition pour son caractère onirique. L'effet produit est frappant quand il évoque la préhistoire du monde ou sa fin. Etant donné que la folie est l'épanchement du monde dans la vie réelle, il adopte une technique compensatoire, parfaitement analysée par R. Jean, où le rêve est décrit en termes de réalité, et la réalité en termes de rêve, si bien que l'œuvre entière baigne dans une atmosphère *sui generis* dont les œuvres surréalistes n'ont pu égaler le pouvoir hallucinogène.

II. *Aurélia* est encore une autobiographie en langage de destin. A comparer version primitive et version définitive, on décèle aussitôt la volonté d'effacer toute précision pour que se dégage mieux une certaine ligne. On note l'emploi systématique de l'article indéfini : *une* femme, *un* ami, *une* autre ville, *une* étoile. Insistons sur ce dernier cas en raison des divagations auxquelles a donné lieu l'indéfini. La version primitive ne laisse aucun doute sur l'identité de cette étoile : il s'agit de Saturne. Nous savons désormais d'où provient au dénouement le nom de Saturnin. A côté de l'indéfini on trouve la précision fausse, la transposition. Le jour de la Saint-Sylvestre que nous connaissons par *Pandora* devient ici un joyeux carnaval dans une ville d'Italie. Le point le plus important est que dans la version définitive il n'est plus question de « charmante cantatrice »; le lecteur ne peut pas savoir qu'Aurélia est une actrice. En revanche le narrateur lui apprend qu'il a surpris un jour le nom de Jésus sur ses lèvres. La précision et l'authenticité sont donc subordonnées à un souci majeur : ne pas détourner l'attention du lecteur de l'essentiel.

Cela dit, il suffit d'avoir une connaissance élémentaire de la biographie nervalienne pour repérer dans le récit les allusions à deux périodes de sa vie, *grosso modo* équivalentes : *a*) de 1838 à 1842, période jalonnée par la rupture avec Jenny en 1838; la rencontre de Marie Pleyel en 1839-1840; la rencontre de Gérard, Jenny et Marie à Bruxelles en 1840; la première crise de folie en 1841; les visions de 1841-1842; la mort de Jenny le 5 juin 1842. *b*) de 1851 à 1854, période

jalonnée par la chute de septembre 1851; les visions
qui s'ensuivent au début de 1852; l'amitié avec
Georges Bell; au cours d'une visite chez Heine en
février 1853, le transfert à la Maison Dubois; la mort
de Reynaud en août de la même année; la préparation et la publication de *Sylvie;* la crise subite du mois
d'août qui lui vaut d'être conduit d'urgence à l'hospice de la Charité où on lui passe la camisole de force;
l'installation à Passy en octobre 1853. A ce moment le
récit n'est plus rédigé au passé mais au présent. La vie
à la clinique Blanche est évoquée avec une grande précision. On a signalé dans les *Mémorables* une allusion
à la querelle des Lieux saints.

Le poète s'interrogeant sur son destin retient de sa
vie l'essentiel, c'est-à-dire l'Amour et la Folie qui sous
son masque cache le visage de la Mort.

Entre deux périodes privilégiées s'étend une période
creuse d'une dizaine d'années qui est escamotée.
Pourquoi cet escamotage ? Après sa première crise,
au lieu de conformer sa vie à la révélation dont il
avait bénéficié, Nerval a voulu « guérir ». Il a choisi le
voyage comme remède sans s'apercevoir, sinon incons-
ciemment, que le voyage était un succédané du rêve.
Après sa rechute, la série interrompue de ses étranges
rêveries est renouée : par-dessus la large coupure de
dix ans, il constate qu'il fait les mêmes rêves, que les
mêmes figures hantent son sommeil, qu'en quelque
sorte sa vie recommence. Dans *Sylvie*, la composition
de la nouvelle est telle que le lecteur doit comparer les
chapitres VIII, IX, X, XI, aux chapitres IV, V, VI, VII, dont
ils sont la reprise, et c'est de cette confrontation que
jaillit la lumière, la prise de conscience de la toute-
puissance du temps. Dans *Aurélia* également les deux
tranches de vie se correspondent. Si l'on dresse un
tableau synoptique, les rappels et les redites de thèmes
et d'expressions sautent aux yeux. La prise de conscience de cette reprise a pour effet et la valorisation
des deux époques et le rejet dans les ténèbres extérieures
de ce qui n'est pas Amour et Folie. En voulant guérir,
le poète s'était égaré. Son guignon ou plutôt son élec-
tion était précisément le mal sacré dont il n'avait pas

perçu toute la signification. Dès lors sa tâche est claire : recomposer son destin à partir de cette révélation; faire de sa vie une œuvre d'art et faire de la création de l'œuvre sa vie; donner à la façon d'Apulée et de Dante à son mythe personnel une forme : la forme initiatique; à la façon de Dante surtout, passer de la *Vita nuova* à *la Divine Comédie*.

III. Dès la première version, il avait comparé son œuvre à la *Vita nuova*. Il est indispensable de lire l'œuvre de Dante pour mesurer tout ce que Nerval lui doit. La première version débute par ces mots : « Ce fut en 1840 que commença pour moi cette *Vita nuova*. » Nous lisons dans la version définitive : « Cette *Vita nuova* a eu pour moi deux phases. » On saisit nettement le changement. Rappelons ici que la division en deux parties s'est faite contre la volonté de l'auteur et qu'il n'est pas possible d'adopter la solution de facilité : faire coïncider les deux phases de la *Vita nuova* avec les deux parties. La deuxième phase commence *avant* la fin de la Première partie.

Chaque phase de la *Vita nuova* comporte deux moments cruciaux : 1) la perte d'Aurélia-Eurydice; 2) l'annonce d'une mort prochaine. Aurélia est perdue deux fois. Que faut-il entendre par là ? La première perte, le texte le dit en toute clarté, n'est autre que la fin de la liaison : « Une dame que j'avais aimée longtemps... était perdue pour moi. » Et pour que le lecteur ne risque pas de sous-estimer l'importance de cette perte, l'auteur insiste à coup de superlatifs : « Chacun peut chercher dans ses souvenirs l'émotion la plus navrante, le coup le plus terrible frappé sur l'âme par le destin. » La deuxième perte *n'est pas* la mort d'Aurélia. Le texte expose de la façon la plus nette l'intention de l'auteur; l'apparition d'une femme au teint blême et qui ressemble à Aurélia lui ayant fait dire : « C'est sa mort ou la mienne qui m'est annoncée! » il ajoute de suite : « Je ne sais pourquoi j'en restai à la dernière supposition. » Donc Nerval croit qu'il va mourir. Rappelons que Jenny et Gérard étaient nés tous deux en 1808 et avaient tous deux en 1841 l'âge fatidique de 33 ans. Or, les visions qui suivent cette

annonce et se poursuivent jusqu'à la fin du chapitre v
ont pour effet de résoudre pour lui le problème de
l'immortalité et de lui révéler que nous retrouvons
dans un autre monde les êtres qui nous sont chers.
C'est pourquoi lorsqu'il apprend qu'Aurélia se meurt
et qu'elle est morte, sa réaction est, si l'on peut dire,
logique : « Je ne ressentis qu'un vague chagrin mêlé
d'espoir. Je croyais moi-même n'avoir que peu de
temps à vivre, et j'étais désormais assuré de l'existence
d'un monde où les cœurs aimants se retrouvent.
D'ailleurs elle m'appartenait bien plus dans sa mort
que dans sa vie. »

En quoi consiste alors la deuxième perte d'Aurélia ?
En la terrible révélation que dans l'autre monde les
deux amants risquent d'être séparés, parce que, si
Aurélia est sauvée, son amant, en raison de ses
fautes, pourrait être condamné. Le vocabulaire est
ici très expressif : nous trouvons une série de variations
sur le *Domine, non sum dignus*, « je ne suis pas digne
de partager son ciel »; à l'expression « elle est perdue »
correspond pour l'amant « je suis perdu »; enfin,
comme Baudelaire, Nerval s'écrie : « Il est trop tard ! »

Nerval n'a-t-il pas été influencé par la nouvelle de
Balzac, *les Proscrits ?* Du moment qu'*Aurélia* est
une œuvre écrite sous le patronage de Dante, il ne
pouvait pas ne pas être frappé par cette nouvelle qui
met Dante en scène. Afin de détourner du suicide un
jeune compagnon qui ressemble à Gérard comme un
frère, le poète proscrit (transformé en étudiant en
Sorbonne !) lui raconte une vision qui, dans l'esprit
de Balzac, veut être un pastiche de *l'Enfer :* pour
retrouver son amante perdue, un amant se suicide;
dès lors ils sont séparés éternellement.

La crainte d'être séparé éternellement d'Aurélia est
d'autant plus atroce que la deuxième phase de la *Vita
nuova* comporte comme la première, après la prise de
conscience de la perte, l'annonce de la mort prochaine.
Le texte ici est plus clair que n'importe quel commentaire : « Je me levai, plein de terreur, me disant :
« C'est mon dernier jour ! » A dix ans d'intervalle,
la même idée que j'ai tracée dans la première partie de

ce récit me revenait plus positive encore et plus menaçante. Dieu m'avait laissé ce temps pour me repentir
et je n'en avais pas profité. » Une étonnante variation
sur le mythe de Don Juan nous montre l'Impénitent
persistant dans l'égarement après la visite du Convive
de pierre.

On mesure dès lors la profondeur de son angoisse :
comment échapper à la menace, non pas à la mort
imminente, mais à la damnation ? C'est en répondant
à cette question que nous saisirons le fil d'Ariane, et
du même coup découvrirons le principe d'unité de
cette œuvre hétérogène : *le poète orphique affronte le
mystère de la Mort à la lumière de son expérience du
Rêve et de son expérience de l'Amour.*

Si l'on analyse l'expérience du Rêve, on distingue
aisément un schéma dialectique, et le texte suggère
déjà, comme il est de tradition, la parenté du Sommeil
et de la Mort. 1er temps : l'engourdissement (le mot
revient dans les analyses du premier et dernier
chapitre); 2e temps : la phase transitoire qui est
décrite comme une progression dans un souterrain
hanté par des fantômes; 3e temps : le Réveil, c'est-à-
dire le Rêve, l'entrée dans le monde des Esprits illuminé par une clarté nouvelle.

Si l'on analyse l'expérience de l'Amour, même ternaire dialectique, 1er temps : la rupture; 2e temps : le
divertissement; 3e temps : le pardon.

C'est cette dialectique qui est appliquée au mystère
de la Mort. Comment réveiller l'âme endormie, comment purifier l'âme coupable ? La superposition des
deux ternaires montre de quelle façon la Vie éternelle
repose sur le Pardon. Mais on ne parvient à ce stade
qu'après avoir passé par des épreuves, qu'après être
descendu aux enfers.

On découvre alors une composition subtile qui
fait d'*Aurélia* un modèle d'œuvre initiatique. *Aurélia*
comporte le récit d'une petite et d'une grande initiation. La première phase de la *Vita nuova* correspond à
la fois — et c'est une trouvaille — à la petite initiation
et au premier temps du ternaire dialectique qui constitue la structure profonde de l'œuvre.

Que faut-il entendre par petite initiation ? D'une part tout est déjà esquissé : le mot clé est le mot connaître ou reconnaître, et s'il arrive au néophyte de ne pas connaître certains êtres, « ils lui sont chers sans qu'il les connût ». « Reconnaître devient synonyme de renaître », observe K. Schaerer. Mais précisément ce n'est pas le verbe renaître qui est employé, car il appartient au vocabulaire du grand initié. Dès le chapitre III de la Première partie apparaissent et le thème du syncrétisme féminin : « Une divinité toujours la même rejetait en souriant les masques furtifs de ses diverses incarnations », et le thème du double : « Chaque homme a un double. » En revanche si le néophyte a vu luire la promesse du salut, c'est, pour ainsi dire, trop facilement. A la fois parce qu'il se connaît mal et parce qu'il a des voies du salut une idée simpliste. En outre — et c'est sans doute là le point capital — la révélation se développe selon une perspective préchrétienne.

Le passage entre petite et grande initiation se fait par une transition remarquablement modulée : c'est ici que le vocabulaire de Gautier convient, « le rêve se change en cauchemar ». Après avoir voulu fixer l'image de la Rédemptrice sous forme de fresque puis de modelage, le néophyte tente de retracer une histoire du monde. Or, c'est par là qu'il découvre le tragique de la condition humaine et de l'histoire humaine (on sait que pour une âme romantique les deux aspects sont indissociables), alors que jusqu'ici il vivait dans un univers borné à lui-même, à ses amours, aux siens. C'est à cette révélation qu'est enchaînée la chute symbolique qui marque le début de la grande initiation.

Celle-ci comporte deux phases contrastées : la traversée des enfers et la remontée, phases qui correspondent aussi au deuxième et troisième temps du ternaire dialectique. Le second temps est négatif ; le premier et le troisième sont positifs, mais le dernier se situe à un plan supérieur au plan de départ. Ainsi la descente et la remontée se combinent avec une marche en spirale.

Le deuxième temps, la traversée des enfers, est à la

fois un document sur le complexe de culpabilité et
un des plus beaux textes littéraires sur le tragique de la
condition humaine. En outre Nerval insère ici une analyse de l'état d'âme des enfants du siècle, plus per-
sonnelle et plus profonde que celle du chapitre I de
Sylvie. Le tragique se résume dans la hantise du double,
qui aboutit au rapt d'Aurélia par l'Autre (tout ce
passage étant repris du reste de l'*Histoire du Calife
Hakem*). Cette hantise atteint un tel degré de fureur
que le malheureux verra Aurélia elle-même entraînée
dans l'abîme. Les chapitres qui suivent décrivent une
errance symbolique dans Paris devenu l'image de
l'enfer, auprès de laquelle pâlit la marche dans Paris
du poète de *Zone*. Les signes annonciateurs de la fin
du monde, le Déluge et le Soleil noir, sont en fait
avant-coureurs de la pire nouvelle : la mort de Dieu,
et, dans le contexte qui est nettement catholique depuis
le début de la Deuxième partie la mort de la Vierge et
la mort du Christ (chapitre IV).

Quiconque est familiarisé avec la démarche initiatique sait que l'espoir rentre dans l'âme du myste
quand il atteint le dernier degré du désespoir. Ici
commence la remontée.

Le troisième temps du schéma initiatique est d'une
extrême complexité. Et d'abord parce que la remontée
est un itinéraire difficile, qu'elle comporte des à-coups,
des reculs. Ensuite parce que l'incertitude religieuse
jointe au désir du salut amène le myste à faire en
quelque sorte flèche de tout bois. Il y a en lui un mage
qui a recours à la Kabbale et qui volontiers forcerait
le ciel. Il connaît la doctrine des Correspondances, et
parce qu'il a découvert en passant de la petite à la
grande initiation que son salut est lié à celui du monde,
il veut s'employer à restaurer l'harmonie première.
Cependant il y a en lui des ferments de catholicisme :
il sait donc le prix de l'humilité, du repentir, du sacrifice, de la charité. Il est surtout celui qui fait reposer
son salut sur l'intervention de la femme. On serait
porté à y voir l'aspect typiquement nervalien; c'est
là pourtant qu'il se montre le disciple docile de
Dante, de Gœthe, auteur du *Second Faust*, de Hoff-

mann, auteur des *Elixirs du diable*. La remontée est
divisée en trois étapes qui sont marquées chacune
(aux chapitres II, V et VI) par une apparition de la
Femme suscitant la Joie. Nous assistons à la merveilleuse métamorphose de Jenny qui tour à tour réuni-
fie la double image d'Aurélie l'actrice et d'Adrienne
la religieuse, s'identifie à l'image idéalement tendre de
la mère et s'illumine de toutes les représentations de
la déesse, Marie, la Vierge-Mère, Isis, Vénus Uranie,
Artémis (sur la liste de ses œuvres complètes qu'il
rédigea quelques jours avant sa mort, Nerval appelait
cette œuvre-ci, non pas *Aurélia*, mais *Artémis*).

En même temps que l'image féminine s'enrichit, et,
pour employer le vocabulaire nervalien, se met à
grandir, comme si l'apparition d'Adrienne dans *Sylvie*
était l'archétype de toute apparition, elle semble s'évanouir dans sa propre grandeur. Il est troublant de
constater qu'à mesure que le myste progresse vers le
salut, Aurélia-Isis a son nom qui s'efface! Au chapitre II de la Dernière partie, elle n'est désignée que
par l'initiale A; dans les *Mémorables*, elle n'est plus
désignée que par des astérisques. Nerval — le manuscrit nous l'apprend — avait d'abord écrit le nom de
Sophie, nom combien chargé de sens, puisqu'il relie
les amours enfantines à la Gnose. Sans épiloguer sur
la portée de cette « censure », retenons l'effacement
même du nom. Il devient le signe d'une absence,
comme si l'image de la Rédemptrice était tracée sur
du néant, inspirée par la frustration fondamentale, la
privation de la mère.

Ces considérations ont pour effet de donner plus de
prix encore à l'entrée en scène de Saturnin, qui signifie
que le seul problème pour Nerval est de devenir
capable d'adorer autre chose qu'une image, que le
salut véritable est dans la charité, qu'il consiste à
s'oublier pour découvrir le prochain et l'aimer comme
soi-même! On notera le parallélisme éloquent. La
formule du chapitre IV qui définit si bien le roman initiatique : « Je veux expliquer comment, éloigné longtemps de la vraie route, je m'y suis senti ramené par
le souvenir chéri d'une personne morte, et comment le

besoin de croire qu'elle existait toujours a fait rentrer dans mon esprit le sentiment précis des diverses vérités que je n'avais pas assez fortement recueillies dans mon âme », cette formule d'inspiration dantesque est reprise *in extremis* sous la forme peut-être plus significative : « Je bénissais l'âme fraternelle qui, du sein du désespoir, m'avait fait rentrer dans les voies lumineuses de la religion. » La comparaison avec l'expérience de l'Amour nous apprend que le Pardon ne peut être accordé que sur l'intervention d'un tiers.

Sous le titre swedenborgien de *Mémorables*, le poète célèbre la délivrance de l'âme captive. L'action de grâces culmine avec la citation de saint Paul : « O mort! où est ta victoire ? » Quel poète mystique a célébré sa joie avec tant de pureté : « Le ciel s'est ouvert dans toute sa gloire, et j'y ai lu le mot pardon signé du sang de Jésus-Christ! » Mais c'est à la femme, reine de Beauté, de Grandeur, de Bonté qu'est attribuée la miséricorde comme vocation essentielle. « Oh! que ma grande amie est belle! Elle est si grande qu'elle pardonne au monde et si bonne qu'elle m'a pardonné. » Cet Alléluia, si pur qu'il soit, n'en émane pas moins du « capharnaüm » évoqué plus haut. Le souci d'étendre à l'univers le pardon suprême entraîne d'étonnants mélanges de références mythologiques ou d'allusions à l'actualité. Adonis le dieu grec voisine avec Apollyon le démon de l'Apocalypse; et dans la mystique chevauchée qui conduit aux portes de la Jérusalem nouvelle le Christ encadré par le myste régénéré et par la rédemptrice, le poète mêle des références bibliques à des réminiscences de la poésie allemande et à des souvenirs d'enfance qui dans *Sylvie* l'avaient déjà obligé à transformer Aurélie en amazone. Nos préférences vont à la scène de la petite fille au chat. Avec une grâce de conte de fées est suggéré je ne sais quel mystère joyeux, comme si, pour évoquer la vie nouvelle affranchie des conditions du temps et de l'espace, il fallait demander à la vision enfantine son plus secret conseil.

La hantise du Double est à jamais exorcisée grâce à la découverte du Frère. Le myste purifié revient parmi les hommes pour leur annoncer l'heureuse nouvelle. A l'imitation du Christ, il accomplit des miracles : l'aveugle voit, le sourd entend, le muet parle. Mais ce miracle reste nervalien, puisque le thaumaturge rend l'ouïe au soldat que la guerre a transformé en mort-vivant, en lui chantant des chansons valoises.

Mais plus nervalienne encore est la conclusion de l'œuvre. Rejetant le débat vainement ressassé sur l'épithète à accoler à cette conversion ou sur le suicide considéré comme une remise en question d'un renouveau imaginaire, nous ne retiendrons que la merveilleuse modestie, mais aussi la lucidité de celui qui, dressant comme au dernier chapitre de *Sylvie* le bilan de son expérience, sait distinguer des illusions les convictions qu'il a acquises malgré tout. « Là était le bonheur peut-être; cependant... » écrivait-il à la fin de *Sylvie*. On notera ici l'inversion si frappante : « Toutefois je me sens heureux... » Mais ne nous laissons pas abuser par cette mesure. Il nous a lui-même averti : « La dernière folie qui me restera probablement, ce sera de me croire poète. » En guise d'adieu, à la fin d'*Aurélia*, ce qu'il nous laisse entendre à demi-mot, ce n'est rien de moins que cet aveu : Je suis Orphée.

LÉON CELLIER.

BIBLIOGRAPHIE SOMMAIRE

ÉTUDE GÉNÉRALE SUR LA VIE ET L'ŒUVRE

L. CELLIER, *Gérard de Nerval*, Hatier, 1963.

ÉTUDE D'ENSEMBLE

J. RICHER, *Nerval, Expérience et Création*, Hachette, éd. revue, 1970.

ÉTUDES PARTICULIÈRES

1º *Promenades et Souvenirs :*

R. JEAN, *le Vert Paradis de G. de N.*, Cahiers du Sud, nº 292, 1948.

R. CHAMBERS, *Nerval et la poétique du Voyage*, Corti, 1969, chap. VI.

2º *Lettres à Jenny :*

J. POIRIER, *Un étrange amoureux*, la Table ronde, déc. 1955.

3º *Pandora :*

J. GUILLAUME, *Pandora*, éd. critique, Namur et Gembloux, 1968.

F. CONSTANS, *Nerval et l'amour platonique*, Mercure de France, CCCXXIV, mai 1955.

4º *Aurélia :*

J. RICHER, *Aurélia*, éd. critique avec la collaboration
de F. Constans, M.-L. Belleli, J.-M. Kneller, J. Sene-
lier, Minard, Lettres modernes, 1965.

R. JEAN, *Nerval par lui-même*, Seuil, s.d., pp. 109-121.

R. CHAMBERS, *Nerval et la poétique du Voyage*, Corti,
1969, chap. X.

―――――――

Etablissement des textes

1º *Promenades et Souvenirs :*

Le texte reproduit est celui publié par *l'Illustration*
en 1855.

2º *Lettres à Jenny :*

Le texte reproduit est le groupement . établi par
J. Richer, et revu sur les documents conservés à la
Bibliothèque de Lovenjoul.

3º *Pandora :*

Le texte reproduit est la version établie par le père
J. Guillaume. (G. de NERVAL, *Pandora*, édition critique par J. Guillaume, s. j., collection Bibliothèque
de la Faculté de Philosophie et Lettres de Namur,
fasc. 36, Namur, Facultés universitaires et Gembloux,
Duculot, 1969.)

4º *Aurélia :*

a) les fragments de la première version sont reproduits d'après la version établie par J. Richer (*Nerval,
Expérience et Création*, Paris, Hachette, 1963);

b) le texte de la version définitive est celui publié
par *la Revue de Paris* en 1855. Les corrections sont
signalées par des crochets [...].

PROMENADES
ET SOUVENIRS

I

LA BUTTE MONTMARTRE

Il est véritablement difficile de trouver à se loger dans Paris. — Je n'en ai jamais été si convaincu que depuis deux mois. Arrivé d'Allemagne après un court séjour dans une villa de la banlieue, je me suis cherché un domicile plus assuré que les précédents, dont l'un se trouvait sur la place du Louvre et l'autre dans la rue du Mail. — Je ne remonte qu'à six années. — Evincé du premier avec vingt francs de dédommagement, que j'ai négligé, je ne sais pourquoi, d'aller toucher à la Ville, j'avais trouvé dans le second ce qu'on ne trouve plus guère au centre de Paris : — une vue sur deux ou trois arbres occupant un certain espace, qui permet à la fois de respirer et de se délasser l'esprit en regardant autre chose qu'un échiquier de fenêtres noires, où de jolies figures n'apparaissent que par exception. — Je respecte la vie intime de mes voisins, et ne suis pas de ceux qui examinent avec des longues-vues le galbe d'une femme qui se couche, ou surprennent à l'œil nu les silhouettes particulières aux incidents et accidents de la vie conjugale. — J'aime mieux tel horizon « à souhait pour le plaisir des yeux », comme dirait Fénelon, où l'on peut jouir, soit d'un lever, soit d'un coucher de soleil, mais plus particulièrement du lever. Le coucher ne m'embarrasse guère : je suis sûr de le rencontrer partout ailleurs que chez moi. Pour le lever, c'est différent : j'aime à voir le soleil découper des angles sur les murs, à entendre au-dehors des gazouillements d'oiseaux, fût-ce de simples moineaux francs... Grétry offrait un louis pour entendre une chanterelle, je donnerais vingt francs pour un merle; — les vingt francs que la ville de Paris me doit encore!

J'ai longtemps habité Montmartre; on y jouit d'un air très pur, de perspectives variées, et l'on y découvre des horizons magnifiques, soit « qu'ayant été vertueux, l'on aime à voir lever l'aurore », qui est très belle du côté de Paris, soit qu'avec des goûts moins simples, on préfère ces teintes pourprées du couchant, où les nuages déchiquetés et flottants peignent des tableaux de bataille et de transfiguration au-dessus du grand cimetière, entre l'arc de l'Etoile et les coteaux bleuâtres qui vont d'Argenteuil à Pontoise. — Les maisons nouvelles s'avancent toujours, comme la mer diluvienne qui a baigné les flancs de l'antique montagne, gagnant peu à peu les retraites où s'étaient réfugiés les monstres informes reconstruits depuis par Cuvier. — Attaqué d'un côté par la rue de l'Empereur, de l'autre par le quartier de la mairie, qui sape les âpres montées et abaisse les hauteurs du versant de Paris, le vieux mont de Mars aura bientôt le sort de la butte des Moulins, qui au siècle dernier ne montrait guère un front moins superbe. — Cependant, il nous reste encore un certain nombre de coteaux ceints d'épaisses haies vertes, que l'épine-vinette décore tour à tour de ses fleurs violettes et de ses baies pourprées. Il y a là des moulins, des cabarets et des tonnelles, des élysées champêtres et des ruelles silencieuses, bordées de chaumières, de granges et de jardins touffus, des plaines vertes coupées de précipices, où les sources filtrent dans la glaise, détachant peu à peu certains îlots de verdure où s'ébattent des chèvres, qui broutent l'acanthe suspendue aux rochers. Des petites filles à l'œil fier, au pied montagnard, les surveillent en jouant entre elles. On rencontre même une vigne, la dernière du cru célèbre de Montmartre, qui luttait, du temps des Romains, avec Argenteuil et Suresnes. Chaque année, cet humble coteau perd une rangée de ses ceps rabougris, qui tombent dans une carrière. — Il y a dix ans, j'aurais pu l'acquérir au prix de trois mille francs... On en demande aujourd'hui trente mille. C'est le plus beau point de vue des environs de Paris.

Ce qui me séduisait dans ce petit espace abrité par
les grands arbres du Château des Brouillards, c'était
d'abord ce reste de vignoble lié au souvenir de saint
Denis, qui au point de vue des philosophes, était peut-
être le second Bacchus, Διονύσιος, et qui a eu trois
corps, dont l'un a été enterré à Montmartre, le second
à Ratisbonne et le troisième à Corinthe. — C'était
ensuite le voisinage de l'abreuvoir, qui le soir s'anime
du spectacle de chevaux et de chiens que l'on y baigne,
et d'une fontaine construite dans le goût antique, où les
laveuses causent et chantent comme dans un des premiers chapitres de *Werther*. Avec un bas-relief consacré
à Diane et peut-être deux figures de naïades sculptées
en demi-bosse, on obtiendrait, à l'ombre des vieux
tilleuls qui se penchent sur le monument, un admirable
lieu de retraite, silencieux à ses heures, et qui rappelle-
rait certains points d'étude de la campagne romaine.
Au-dessus se dessine et serpente la rue des Brouillards,
qui descend vers le chemin des Bœufs, puis le jardin du
restaurant Gaucher, avec ses kiosques, ses lanternes
et ses statues peintes. — La plaine Saint-Denis a des
lignes admirables, bornées par les coteaux de Saint-
Ouen et de Montmorency, avec des reflets de soleil ou
de nuages qui varient à chaque heure du jour. A droite
est une rangée de maisons, la plupart fermées pour
cause de craquement dans les murs. C'est ce qui assure
la solitude relative de ce site : car les chevaux et les
bœufs qui passent, et même les laveuses, ne troublent
pas les méditations d'un sage, et même s'y associent.
— La vie bourgeoise, ses intérêts et ses relations vulgaires, lui donnent seuls l'idée de s'éloigner le plus
possible des grands centres d'activité.

Il y a à gauche de vastes terrains, recouvrant l'emplacement d'une carrière éboulée, que la commune a
concédés à des hommes industrieux qui en ont transformé l'aspect. Ils ont planté des arbres, créé des
champs où verdissent la pomme de terre et la better-
ave, où l'asperge montée étalait naguère ses panaches
verts décorés de perles rouges.

On descend le chemin et l'on tourne à gauche. Là
sont encore deux ou trois collines vertes, entaillées par

une route qui plus loin comble des ravins profonds, et
qui tend à rejoindre un jour la rue de l'Empereur
entre les buttes et le cimetière. On rencontre là un
hameau qui sent fortement la campagne, et qui a
renoncé depuis trois ans aux travaux malsains d'un
atelier de *poudrette*. — Aujourd'hui, l'on y travaille
les résidus des fabriques de bougies stéariques. — Que
d'artistes repoussés du prix de Rome sont venus sur
ce point étudier la campagne romaine et l'aspect des
marais Pontins! Il y reste même un marais animé par
des canards, des oisons et des poules.

Il n'est pas rare aussi d'y trouver des haillons pitto-
resques sur les épaules des travailleurs. Les collines,
fendues çà et là, accusent le tassement du terrain sur
d'anciennes carrières; mais rien n'est plus beau que
l'aspect de la grande butte, quand le soleil éclaire ses
terrains d'ocre rouge veinés de plâtre et de glaise,
ses roches dénudées et quelques bouquets d'arbres
encore assez touffus, où serpentent des ravins et des
sentiers. La plupart des terrains et des maisons éparses
de cette petite vallée appartiennent à de vieux propriétaires, qui ont calculé sur l'embarras des Parisiens à se
créer de nouvelles demeures, et sur la tendance qu'ont
les maisons du quartier Montmartre à envahir, dans
un temps donné, la plaine Saint-Denis. C'est une écluse
qui arrête le torrent; quand elle s'ouvrira, le terrain
vaudra cher. — Je regrette d'autant plus d'avoir hésité,
il y a dix ans, à donner trois mille francs du dernier
vignoble de Montmartre.

Il n'y faut plus penser. Je ne serai jamais propriétaire; et pourtant que de fois, au 8 ou au 15 de chaque
trimestre (près de Paris, du moins), j'ai chanté le
refrain de M. Vautour :

> Quand on n'a pas de quoi payer son terme
> Il faut avoir une maison à soi!

J'aurais fait faire dans cette vigne une construction
si légère!... Une petite villa dans le goût de Pompéi
avec un impluvium et une cella, quelque chose comme
la maison du poète tragique. Le pauvre Laviron, mort
depuis sur les murs de Rome, m'en avait dessiné le

plan. — A dire le vrai pourtant, il n'y a pas de propriétaires aux buttes Montmartre. On ne peut asseoir
légalement une propriété sur des terrains minés par des
cavitées peuplées dans leurs parois de mammouths et
de mastodontes. La commune concède un droit de pos-
session qui s'éteint au bout de cent ans... On est
campé comme les Turcs; et les doctrines les plus
avancées auraient peine à contester un droit si fugitif
où l'hérédité ne peut longuement s'établir [1].

II

LE CHÂTEAU DE SAINT-GERMAIN

J'ai parcouru les quartiers de Paris qui correspondent
à mes relations, et n'ai rien trouvé qu'à des prix impos-
sibles, augmentés par les conditions que formulent les
concierges. Ayant rencontré un seul logement au-
dessous de trois cents francs, on m'a demandé si
j'avais un état pour lequel il fallût du jour. — J'ai
répondu, je crois, qu'il m'en fallait pour l'état de ma
santé. — C'est, m'a dit le concierge, que la fenêtre de la
chambre s'ouvre sur un corridor qui n'est pas bien
clair. Je n'ai pas voulu en savoir davantage, et j'ai
même négligé de visiter une *cave à louer*, me souvenant
d'avoir vu à Londres, cette même inscription, suivie
de ces mots : « Pour un gentleman seul. »
Je me suis dit : Pourquoi ne pas aller demeurer à
Versailles ou à Saint-Germain ? La banlieue est encore
plus chère que Paris; mais, en prenant un abonne-
ment du chemin de fer, on peut sans doute trouver des
logements dans la plus déserte ou dans la plus abandonnée de ces deux villes. En réalité, qu'est-ce qu'une

---

1. Certains propriétaires nient ce détail, qui m'a été affirmé
par d'autres. N'y aurait-il pas eu, là aussi, des usurpations
pareilles à celles qui ont rendu les fiefs héréditaires sous Hugues
Capet ?

demi-heure de chemin de fer, le matin et le soir ? On a
là les ressources d'une cité, et l'on est presque à la
campagne. Vous vous trouvez logé par le fait rue
Saint-Lazare, n° 130. Le trajet n'offre que de l'agrément, et n'équivaut jamais, comme ennui ou comme
fatigue, à une course d'omnibus. — Je me suis trouvé
très heureux de cette idée, et j'ai choisi Saint-Germain,
qui est pour moi une ville de souvenirs. Quel voyage
charmant! Asnières, Chatou, Nanterre et Le Pecq; la
Seine trois fois repliée, des points de vue d'îles vertes,
de plaines, de bois, de chalets et de villas; à droite,
les coteaux de Colombes, d'Argenteuil et de Carrières;
à gauche, le mont Valérien, Bougival, Lucienne et
Marly; puis la plus belle perspective du monde : la
terrasse et les vieilles galeries du château de Henri IV,
couronnées par le profil sévère du château de Fran-
çois Iᵉʳ. J'ai toujours aimé ce château bizarre, qui
sur le plan a la forme d'un D gothique, en l'honneur,
dit-on, du nom de la belle Diane. — Je regrette seulement de n'y pas voir ces grands toits écaillés d'ardoises, ces clochetons à jour où se déroulaient des
escaliers en spirale, ces hautes fenêtres sculptées s'élan-
çant d'un fouillis de toits anguleux qui caractérisent
l'architecture valoise. Des maçons ont défiguré, sous
Louis XVIII, la face qui regarde le parterre. Depuis,
l'on a transformé ce monument en pénitencier, et l'on
a déshonoré l'aspect des fossés et des ponts antiques
par une enceinte de murailles couvertes d'affiches. Les
hautes fenêtres et les balcons dorés, les terrasses où
ont paru tour à tour les beautés blondes de la cour
des Valois et de la cour des Stuarts, les galants chevaliers
des Médicis et les Ecossais fidèles de Marie Stuart et
du roi Jacques, n'ont jamais été restaurés; il n'en reste
rien que le noble dessin des baies, des tours et des
façades, que cet étrange contraste de la brique et de
l'ardoise, s'éclairant des feux du soir ou des reflets
argentés de la nuit, et cet aspect moitié galant, moitié
guerrier d'un château fort qui, en dedans, contenait
un palais splendide dressé sur une montagne, entre
une vallée boisée où serpente un fleuve et un parterre
qui se dessine sur la lisière d'une vaste forêt.

Je revenais là, comme Ravenswood au château de ses pères; j'avais eu des parents parmi les hôtes de ce château, — il y a vingt ans déjà; — d'autres, habitants de la ville; en tout, quatre tombeaux... Il se mêlait encore à ces impressions des souvenirs d'amour et de fêtes remontant à l'époque des Bourbons; — de sorte que je fus tour à tour heureux et triste tout un soir!

Un incident vulgaire vint m'arracher à la poésie de ces rêves de jeunesse. La nuit étant venue, après avoir parcouru les rues et les places, et salué des demeures aimées jadis, donné un dernier coup d'œil aux côtes de l'étang de Mareil et de Chambourcy, je m'étais enfin reposé dans un café qui donne sur la place du Marché. On me servit une chope de bière. Il y avait au fond trois cloportes; — un homme qui a vécu en Orient est incapable de s'affecter d'un pareil détail : « — Garçon! dis-je, il est possible que j'aime les cloportes; mais, une autre fois, si j'en demande, je désirerais qu'on me les servît à part. » Le mot n'était pas neuf, s'étant déjà appliqué à des cheveux servis sur une omelette; — mais il pouvait encore être goûté à Saint-Germain. Les habitués, bouchers ou conducteurs de bestiaux, le trouvèrent agréable.

Le garçon me répondit imperturbablement : « Monsieur, cela ne doit pas vous étonner : on fait en ce moment des réparations au château, et ces insectes se réfugient dans les maisons de la ville. Ils aiment beaucoup la bière et y trouvent leur tombeau. — Garçon, lui dis-je, vous êtes plus beau que nature et votre conversation me séduit... Mais est-il vrai que l'on fasse des réparations au château ? — Monsieur vient d'en être convaincu. — Convaincu, grâce à votre raisonnement; mais êtes-vous sûr du fait en lui-même ? — Les journaux en ont parlé. »

Absent de France pendant longtemps, je ne pouvais contester ce témoignage. Le lendemain, je me rendis au château pour voir où en était la restauration. Le sergent-concierge me dit, avec un sourire qui n'appartient qu'à un militaire de ce grade : « Monsieur, seulement pour raffermir les fondations du château, il faudrait neuf millions; les apportez-vous ? » Je suis habitué à ne m'étonner de rien : « Je ne les ai pas sur moi, observai-je; mais cela pourrait encore se trouver! — Eh bien ! dit-il, quand vous les apporterez, nous vous ferons voir le château. »

J'étais piqué; ce qui me fit retourner à Saint-Germain deux jours après. J'avais trouvé l'idée : Pourquoi, me disais-je, ne pas faire une souscription ? La France est pauvre; mais il viendra beaucoup d'Anglais l'année prochaine pour l'exposition des Champs-Elysées. Il est impossible qu'ils ne nous aident pas à sauver de la destruction un château qui a hébergé plusieurs générations de leurs reines et de leurs rois. Toutes les familles jacobites y ont passé, — la ville encore est à moitié pleine d'Anglais; j'ai chanté tout enfant les chansons du roi Jacques et pleuré Marie Stuart, en déclamant les vers de Ronsard et de du Bellay... La race des *King-Charles* emplit les rues comme une preuve vivante encore des affections de tant de races disparues... Non! me dis-je, les Anglais ne refuseront pas de s'associer à une souscription doublement nationale. Si nous contribuons par des monacos, ils trouveront bien des couronnes et des guinées!

Fort de cette combinaison, je suis allé la soumettre aux habitués du Café du Marché. Ils l'ont accueillie avec enthousiasme, et quand j'ai demandé une chope de bière *sans cloportes,* le garçon m'a dit : « Oh! non, monsieur, plus aujourd'hui! »

Au château je me suis présenté la tête haute. Le sergent m'a introduit au corps de garde, où j'ai développé mon idée avec succès, et le commandant, qu'on a averti, a bien voulu permettre que l'on me fît voir la chapelle et les appartements des Stuarts, fermés aux simples curieux. Ces derniers sont dans un triste état, et, quant aux galeries, aux salles antiques et aux chambres des Médicis, il est impossible de les reconnaître depuis des siècles, grâce aux clôtures, aux maçonneries et aux faux plafonds qui ont approprié ce château aux convenances militaires.

Que la cour est belle, pourtant! ces profils sculptés, ces arceaux, ces galeries chevaleresques, l'irrégularité

même du plan, la teinte rouge des façades, tout cela
fait rêver aux châteaux d'Ecosse et d'Irlande, à Walter
Scott et à Byron. On a tant fait pour Versailles et tant
pour Fontainebleau... Pourquoi donc ne pas relever ce
débris précieux de notre histoire ? La malédiction de
Catherine de Médicis, jalouse du monument construit
en l'honneur de Diane, s'est continuée sous les Bourbons. Louis XIV craignait de voir la flèche de Saint-
Denis ; ses successeurs ont tout fait pour Saint-Cloud
et Versailles. Aujourd'hui Saint-Germain attend encore le résultat d'une promesse que la guerre a peut-
être empêché de réaliser.

III

UNE SOCIÉTÉ CHANTANTE

Ce que le concierge m'a fait voir avec le plus
d'amour, c'est une série de petites loges qu'on appelle
les *cellules*, où couchent quelques militaires du pénitencier. Ce sont de véritables boudoirs ornés de peintures à fresque représentant des paysages. Le lit se
compose d'un matelas de crin soutenu par des élas-
tiques ; le tout très propre et très coquet, comme une
cabine d'officier de vaisseau. Seulement, le jour y
manque, comme dans la chambre qu'on m'offrait à
Paris, — et l'on ne pourrait pas y demeurer *ayant un
état* pour lequel il faudrait du jour. « J'aimerais, dis-je
au sergent, une chambre moins bien décorée et plus
près des fenêtres. — Quand on se lève avant le jour,
c'est bien indifférent ! » me répondit-il. Je trouvai cette
observation de la plus grande justesse.

En repassant par le corps de garde, je n'eus qu'à
remercier le commandant de sa politesse, et le sergent
ne voulut accepter aucune *buona mano*. Mon idée
de souscription anglaise me trottait dans la tête, et
j'étais bien aise d'en essayer l'effet sur des habitants
de la ville. De sorte qu'allant à dîner au pavillon

de Henri IV, d'où l'on jouit de la plus admirable
vue qui soit en France, dans un kiosque ouvert sur
un panorama de dix lieues, j'en fis part à trois Anglais
et à une Anglaise, qui en furent émerveillés, et trouvèrent ce plan très conforme à leurs idées nationales.
— Saint-Germain a cela de particulier, que tout
le monde s'y connaît, qu'on y parle haut dans les
établissements publics, et que l'on peut même s'y
entretenir avec des dames anglaises sans leur être
présenté. On s'ennuierait tellement sans cela! Puis
c'est une population à part, classée, il est vrai, selon
les conditions, mais entièrement locale. Il est très
rare qu'un habitant de Saint-Germain vienne à Paris; certains d'entre eux ne font pas ce voyage une
fois en dix ans. Les familles étrangères vivent aussi là
entre elles avec la familiarité qui existe dans les villes
d'eaux. Et ce n'est pas l'eau, c'est l'air pur que l'on
vient chercher à Saint-Germain. Il y a des maisons
de santé charmantes, habitées par des gens très
bien portants, mais fatigués du bourdonnement et
du mouvement insensés de la capitale. La garni-
son, qui était autrefois de gardes du corps, et qui
est aujourd'hui de cuirassiers de la garde, n'est pas
étrangère peut-être à la résidence de quelques jeunes
beautés, filles ou veuves, qu'on rencontre à cheval ou
à âne sur la route des Loges ou du château du Val. —
Le soir, les boutiques s'éclairent rue de Paris et rue
au Pain; on cause d'abord sur la porte, on rit, on
chante même. — L'accent des voix est fort distinct
de celui de Paris; les jeunes filles ont la voix pure et
bien timbrée, comme dans les pays de montagnes. En
passant dans la rue de l'Eglise, j'entendis chanter au
fond d'un petit café. J'y voyais entrer beaucoup de
monde, et surtout des femmes. En traversant la boutique, je me trouvai dans une grande salle toute pavoi-
sée de drapeaux et de guirlandes avec les insignes
maçonniques et les inscriptions d'usage. — J'ai fait
partie autrefois des *Joyeux* et des *Bergers de Syracuse;*
je n'étais donc pas embarrassé de me présenter.

Le bureau était majestueusement établi sous un dais
orné de draperies tricolores, et le président me fit le

salut cordial qui se doit à un *visiteur*. — Je me rappellerai toujours qu'aux *Bergers de Syracuse*, on ouvrait généralement la séance par ce toast : « Aux Polonais!... et à ces dames! » Aujourd'hui, les Polonais sont un peu oubliés. — Du reste, j'ai entendu de fort jolies chansons dans cette réunion, mais surtout des voix de femmes ravissantes. Le Conservatoire n'a pas terni l'éclat de ces intonations pures et naturelles, de ces trilles empruntés au chant du rossignol ou du merle, ou n'a pas faussé avec les leçons du solfège ces gosiers si frais et si riches en mélodie. Comment se fait-il que ces femmes chantent si juste ? Et pourtant tout musicien de profession pourrait dire à chacune d'elles : « Vous ne savez pas chanter. »

Rien n'est amusant comme les chansons que les jeunes filles composent elles-mêmes, et qui font, en général, allusion aux trahisons des amoureux ou aux caprices de l'autre sexe. Quelquefois il y a des traits de raillerie locale qui échappent au visiteur étranger. Souvent un jeune homme et une jeune fille se répondent comme Daphnis et Chloé, comme Myrtil et Sylvie. En m'attachant à cette pensée, je me suis trouvé tout ému, tout attendri, comme à un souvenir de la jeunesse... C'est qu'il y a un âge — âge *critique*, comme on le dit, pour les femmes, — où les souvenirs renaissent si vivement, où certains dessins oubliés reparaissent sous la trame froissée de la vie! On n'est pas assez vieux pour ne plus songer à l'amour, on n'est plus assez jeune pour penser toujours à plaire. — Cette phrase, je l'avoue, est un peu Directoire. Ce qui l'amène sous ma plume, c'est que j'ai entendu un ancien jeune homme qui, ayant décroché du mur une guitare, exécuta admirablement la vieille romance de Garat :

> Plaisir d'amour ne dure qu'un instant...
> Chagrin d'amour dure toute la vie!

Il avait les cheveux frisés à l'incroyable, une cravate blanche, une épingle de diamant sur son jabot, et des bagues à lacs d'amour. Ses mains étaient blanches et fines comme celles d'une jolie femme. Et, si j'avais été

femme, je l'aurais aimé, malgré son âge : car sa voix
allait au cœur.

Ce brave homme m'a rappelé mon père, qui, jeune
encore, chantait avec goût des airs italiens, à son
retour de Pologne. Il y avait perdu sa femme, et ne
pouvait s'empêcher de pleurer en s'accompagnant de
la guitare aux paroles d'une romance qu'elle avait
aimée, et dont j'ai toujours retenu ce passage :

> Mamma mia, medicate
> Questa piaga, per pietà!
> Melicerto fu l'arciero
> Perchè pace in cor non ho [1]!...

Malheureusement, la guitare est aujourd'hui vaincue par le piano, ainsi que la harpe; ce sont là des
galanteries et des grâces d'un autre temps. Il faut aller
à Saint-Germain pour retrouver, dans le petit monde
paisible encore, les charmes effacés de la société
d'autrefois.

Je suis sorti par un beau clair de lune, m'imaginant
vivre en 1827, époque où j'ai quelque temps habité
Saint-Germain. Parmi les jeunes filles présentes à cette
petite fête, j'avais reconnu des yeux accentués, des
traits réguliers, et, pour ainsi dire, classiques, des
intonations particulières au pays, qui me faisaient
rêver à des cousines, à des amies de cette époque,
comme si dans un autre monde j'avais retrouvé mes
premières amours. Je parcourais au clair de lune ces
rues et ces promenades endormies. J'admirais les
profils majestueux du château, j'allais respirer l'odeur
des arbres presque effeuillés à la lisière de la forêt,
je goûtais mieux à cette heure l'architecture de l'église,
où repose l'épouse de Jacques II, et qui semble un
temple romain [2].

Vers minuit, j'allai frapper à la porte d'un hôtel où
je couchais souvent, il y a quelques années. Impos-

---

1. « O ma mère! guérissez-moi cette blessure, par pitié! Méli-
certe fut l'archer par qui j'ai perdu la paix de mon cœur. »
2. L'intérieur est aujourd'hui restauré dans le style byzantin,
et l'on commence à y découvrir des fresques remarquables
commencées depuis plusieurs années.

sible d'éveiller personne. Des bœufs passaient silencieusement, et leurs conducteurs ne purent me renseigner sur les moyens de passer la nuit. En revenant sur la place du Marché, je demandai au factionnaire s'il connaissait un hôtel où l'on pût recevoir un Parisien relativement attardé. « Entrez au poste, on vous dira cela », me répondit-il.

Dans le poste, je rencontrai de jeunes militaires qui me dirent : « C'est bien difficile : on se couche ici à dix heures; mais chauffez-vous un instant. » On jeta du bois dans le poêle; je me mis à causer de l'Afrique et de l'Asie. Cela les intéressait tellement, que l'on réveillait pour m'écouter ceux qui s'étaient endormis. Je me vis conduit à chanter des chansons arabes et grecques : car la société chantante m'avait mis dans cette disposition. Vers deux heures, un des soldats me dit : « Vous avez bien couché sous la tente... Si vous voulez, prenez place sur le lit de camp. » On me fit un traversin avec un sac de munition, je m'enveloppai de mon manteau et je m'apprêtais à dormir quand le sergent rentra et dit : « Où est-ce qu'ils ont encore ramassé cet homme-là ? — C'est un homme qui parle assez bien, dit un des fusiliers; il a été en Afrique. — S'il a été en Afrique, c'est différent, dit le sergent; mais on admet quelquefois ici des individus qu'on ne connaît pas : c'est imprudent... Ils pourraient enlever quelque chose! — Ce ne serait pas les matelas, toujours! murmurai-je. — Ne faites pas attention, me dit l'un des soldats : c'est son caractère; et puis il vient de recevoir une *politesse*... ça le rend grognon. »

J'ai dormi fort bien jusqu'au point du jour; et, remerciant ces braves soldats ainsi que le sergent, tout à fait radouci, je m'en allai faire un tour vers les coteaux de Mareil pour admirer les splendeurs du soleil levant.

Je le disais tout à l'heure : — mes jeunes années me reviennent, — et l'aspect des lieux aimés rappelle en moi le sentiment des choses passées. Saint-Germain, Senlis et Dammartin, sont les trois villes qui, non loin de Paris, correspondent à mes souvenirs les plus chers. La mémoire de vieux parents morts se rattache mélan-

coliquement à la pensée de plusieurs jeunes filles
dont l'amour m'a fait poète, ou dont les dédains m'ont
fait parfois ironique et songeur. J'ai appris le style en
écrivant des lettres de tendresse ou d'amitié, et, quand
je relis celles qui ont été conservées, j'y retrouve fortement tracée l'empreinte de mes lectures d'alors, surtout
de Diderot, de Rousseau et de Sénancourt. Ce que je
viens de dire expliquera le sentiment dans lequel ont
été écrites les pages suivantes. Je m'étais repris à aimer
Saint-Germain par ces derniers beaux jours d'automne.
Je m'établis à l'*Ange Gardien*, et, dans les intervalles
de mes promenades, j'ai tracé quelques souvenirs que
je n'ose intituler *Mémoires*, et qui seraient plutôt
conçus selon le plan des promenades solitaires de
Jean-Jacques. Je les terminerai dans le pays même où
j'ai été élevé, et où il est mort.

IV

JUVENILIA

Le hasard a joué un si grand rôle dans ma vie, que
je ne m'étonne pas en songeant à la façon singulière
dont il a présidé à ma naissance. C'est, dira-t-on, l'histoire de tout le monde. Mais tout le monde n'a pas
occasion de raconter son histoire.

Et, si chacun le faisait, il n'y aurait pas grand mal.
L'expérience de chacun est le trésor de tous.

Un jour, un cheval s'échappa d'une pelouse verte
qui bordait l'Aisne, et disparut bientôt entre les halliers; il gagna la région sombre des arbres et se perdit
dans la forêt de Compiègne. Cela se passait vers 1770.

Ce n'est pas un accident rare qu'un cheval échappé
à travers une forêt. Et cependant, je n'ai guère d'autre
titre à l'existence. Cela est probable du moins, si l'on
croit à ce que Hoffmann appelait l'*enchaînement des
choses*.

Mon grand-père était jeune alors. Il avait pris le
cheval dans l'écurie de son père, puis il s'était assis sur

le bord de la rivière, rêvant à je ne sais quoi, pendant
que le soleil se couchait dans les nuages empourprés
du Valois et du Beauvoisis.

L'eau verdissait et chatoyait de reflets sombres, des
bandes violettes striaient les rougeurs du couchant.
Mon grand-père, en se retournant pour partir, ne
trouva plus le cheval qui l'avait amené. En vain il le
chercha, l'appela jusqu'à la nuit. Il lui fallut revenir à
la ferme.

Il était d'un naturel silencieux; il évita les rencontres, monta à sa chambre et s'endormit, comptant
sur la Providence et sur l'instinct de l'animal, qui
pouvait bien lui faire retrouver la maison.

C'est ce qui n'arriva pas. Le lendemain matin, mon
grand-père descendit de sa chambre et rencontra dans
la cour son père qui se promenait à grands pas. Il
s'était aperçu déjà qu'il manquait un cheval à l'écurie.
Silencieux comme son fils, il n'avait pas demandé
quel était le coupable; il le reconnut en le voyant
devant lui.

Je ne sais ce qui se passa. Un reproche trop vif fut
cause sans doute de la résolution que prit mon grand-
père. Il monta à sa chambre, fit un paquet de quelques
habits, et, à travers la forêt de Compiègne, il gagna un
petit pays situé entre Ermenonville et Senlis, près des
étangs de Châalis, vieille résidence carlovingienne. Là,
vivait un de ses oncles qui descendait, dit-on, d'un
peintre flamand du dix-septième siècle. Il habitait un
ancien pavillon de chasse aujourd'hui ruiné, qui avait
fait partie des apanages de Marguerite de Valois. Le
champ voisin, entouré de halliers qu'on appelle les
bosquets, était situé sur l'emplacement d'un ancien
camp romain et a conservé le nom du dixième des
Césars. On y récolte du seigle dans les parties qui ne
sont pas couvertes de granits et de bruyères. Quelquefois, on y a rencontré, en *traçant*, des pots étrusques,
des médailles, des épées rouillées ou des images
informes de dieux celtiques.

Mon grand-père aida le vieillard à cultiver ce champ,
et fut récompensé patriarcalement en épousant sa
cousine. Je ne sais pas au juste l'époque de leur

mariage, mais comme il se maria avec l'épée, comme
aussi ma mère reçut le nom de Marie-Antoinette
avec celui de Laurence, il est probable qu'ils furent
mariés un peu avant la Révolution. Aujourd'hui,
mon grand-père repose avec sa femme et sa plus
jeune fille au milieu de ce champ qu'il cultivait jadis. Sa fille aînée est ensevelie bien loin de là, dans la
froide Silésie, au cimetière catholique polonais de
Gross-Glogaw. Elle est morte à vingt-cinq ans des
fatigues de la guerre, d'une fièvre qu'elle gagna en
traversant un pont chargé de cadavres, où sa voiture
manqua d'être renversée. Mon père, forcé de rejoindre
l'armée à Moscou, perdit plus tard ses lettres et ses
bijoux dans les flots de la Bérésina.

Je n'ai jamais vu ma mère, ses portraits ont été
perdus ou volés ; je sais seulement qu'elle ressemblait à
une gravure du temps, d'après Prudhon ou Fragonard,
qu'on appelait *la Modestie*. La fièvre dont elle est
morte m'a saisi trois fois, à des époques qui forment,
dans ma vie, des divisions régulières, périodiques.
Toujours, à ces époques, je me suis senti l'esprit frappé
des images de deuil et de désolation qui ont entouré
mon berceau. Les lettres qu'écrivait ma mère des bords
de la Baltique, ou des rives de la Sprée ou du Danube,
m'avaient été lues tant de fois ! Le sentiment du merveilleux, le goût des voyages lointains, ont été sans
doute pour moi le résultat de ces impressions premières,
ainsi que du séjour que j'ai fait longtemps dans une
campagne isolée au milieu des bois. Livré souvent
aux soins des domestiques et des paysans, j'avais
nourri mon esprit de croyances bizarres, de légendes
et de vieilles chansons. Il y avait là de quoi faire un
poète, et je ne suis qu'un rêveur en prose.

J'avais sept ans, et je jouais, insoucieux, sur la porte
de mon oncle, quand trois officiers parurent devant la
maison ; l'or noirci de leurs uniformes brillait à peine
sous leurs capotes de soldat. Le premier m'embrassa
avec une telle effusion que je m'écriai : « Mon père !...
tu me fais mal ! » De ce jour, mon destin changea.

Tous trois revenaient du siège de Strasbourg. Le
plus âgé, sauvé des flots de la Bérésina glacée, me prit

avec lui pour m'apprendre ce qu'on appelait mes
devoirs. J'étais faible encore, et la gaieté de son plus
jeune frère me charmait pendant mon travail. Un soldat qui les servait eut l'idée de me consacrer une
partie de ses nuits. Il me réveillait avant l'aube et me
promenait sur les collines voisines de Paris, me faisant
déjeuner de pain et de crème dans les fermes ou dans
les laiteries.

V

PREMIÈRES ANNÉES

Une heure fatale sonna pour la France. Son héros,
captif lui-même au sein d'un vaste empire, voulut
réunir dans le champ de Mai l'élite de ses héros fidèles.
Je vis ce spectacle sublime dans la loge des généraux.
On distribuait aux régiments des étendards ornés
d'aigles d'or, confiés désormais à la fidélité de tous.

Un soir je vis se dérouler sur la plus grande place
de la ville une immense décoration qui représentait un
vaisseau en mer. La nef se mouvait sur une onde agitée
et semblait voguer vers une tour qui marquait le
rivage. Une rafale violente détruisit l'effet de cette
représentation. Sinistre augure, qui prédisait à la
patrie le retour des étrangers.

Nous revîmes les fils du Nord, et les cavales de
l'Ukraine rongèrent encore une fois l'écorce des
arbres de nos jardins. Mes sœurs du hameau revinrent
à tire-d'aile, comme des colombes plaintives, et m'apportèrent dans leurs bras une tourterelle aux pieds
roses, que j'aimais comme une autre sœur.

Un jour, une des belles dames qui visitaient mon
père me demanda un léger service : j'eus le malheur
de lui répondre avec impatience. Quand je retournai
sur la terrasse, la tourterelle s'était envolée.

J'en conçus un tel chagrin, que je faillis mourir d'une
fièvre purpurine qui fit porter à l'épiderme tout le
sang de mon cœur. On crut me consoler en me donnant
pour compagnon un jeune sapajou rapporté d'Amé-

rique par un capitaine, ami de mon père. Cette jolie
bête devint la compagne de mes jeux et de mes travaux.

J'étudiais à la fois l'italien, le grec et le latin, l'allemand, l'arabe et le persan. Le *Pastor fido*, *Faust*,
Ovide et Anacréon, étaient mes poèmes et mes poètes
favoris. Mon écriture, cultivée avec soin, rivalisait
parfois de grâce et de correction avec les manuscrits
les plus célèbres de l'Iram. Il fallait encore que le
trait de l'amour perçât mon cœur d'une de ses flèches
les plus brûlantes! Celle-là partit de l'arc délié et du
sourcil noir d'une vierge à l'œil d'ébène, qui s'appelait
Héloïse. — J'y reviendrai plus tard.

J'étais toujours entouré de jeunes filles; — l'une
d'elles était ma tante; deux femmes de la maison,
Jeannette et Fanchette, me comblaient aussi de leurs
soins. Mon sourire enfantin rappelait celui de ma
mère, et mes cheveux blonds, mollement ondulés,
couvraient avec caprice la grandeur précoce de mon
front. Je devins épris de Fanchette, et je conçus l'idée
singulière de la prendre pour épouse selon les rites
des aïeux. Je célébrai moi-même le mariage, en figurant la cérémonie au moyen d'une vieille robe de ma
grand-mère que j'avais jetée sur mes épaules. Un ruban
pailleté d'argent ceignait mon front, et j'avais relevé la
pâleur ordinaire de mes joues d'une légère couche de
fard. Je pris à témoin le Dieu de nos pères et la Vierge
sainte, dont je possédais une image, et chacun se prêta
avec complaisance à ce jeu naïf d'un enfant.

Cependant j'avais grandi; un sang vermeil colorait
mes joues; j'aimais à respirer l'air des forêts profondes.
Les ombrages d'Ermenonville, les solitudes de Morfon-
taine, n'avaient plus de secrets pour moi. Deux de mes
cousines habitaient par là. J'étais fier de les accompagner
dans ces vieilles forêts, qui semblaient leur domaine.

Le soir, pour divertir de vieux parents, nous représentions les chefs-d'œuvre des poètes, et un public
bienveillant nous comblait d'éloges et de couronnes.
Une jeune fille vive et spirituelle, nommée Louise,
partageait nos triomphes; on l'aimait dans cette famille, où elle représentait la gloire des arts.

Je m'étais rendu très fort sur la danse. Un mulâtre

nommé Major m'enseignait à la fois les premiers
éléments de cet art et ceux de la musique, pendant
qu'un peintre de portraits, nommé Mignard, me donnait des leçons de dessin. Mademoiselle Nouvelle était
l'*étoile* de notre salle de danse. Je rencontrai un rival
dans un joli garçon nommé Provost. Ce fut lui qui
m'enseigna l'art dramatique : nous représentions
ensemble des petites comédies qu'il improvisait avec
esprit. Mademoiselle Nouvelle était naturellement
notre actrice principale et tenait une balance si exacte
entre nous deux, que nous soupirions sans espoir...
Le pauvre Provost s'est fait depuis acteur sous le
nom de Raymond; il se souvint de ses premières tentatives, et se mit à composer des féeries, dans lesquelles
il eut pour collaborateurs les frères Cogniard. — Il
a fini bien tristement en se prenant de querelle avec
un régisseur de la Gaîté, auquel il donna un soufflet.
Rentré chez lui, il réfléchit amèrement aux suites de
son imprudence, et, la nuit suivante, se perça le cœur
d'un coup de poignard.

VI

HÉLOÏSE

La pension que j'habitais avait un voisinage de
jeunes brodeuses. L'une d'elles, qu'on appelait la
Créole, fut l'objet de mes premiers vers d'amour; son
œil sévère, la sereine placidité de son profil grec, me
réconciliaient avec la froide dignité des études; c'est
pour elle que je composai des traductions versifiées
de l'ode d'Horace *A Tyndaris*, et d'une mélodie de
Byron, dont je traduisais ainsi le refrain :

> Dis-moi, jeune fille d'Athènes,
> Pourquoi m'as-tu ravi mon cœur ?

Quelquefois, je me levais dès le point du jour et je
prenais la route de ***, courant et déclamant mes vers
au milieu d'une pluie battante. La cruelle se riait de

mes amours errantes et de mes soupirs! C'est pour elle
que je composai la pièce suivante, imitée d'une mélodie
de Thomas Moore :

> Quand le plaisir brille en tes yeux
> Pleins de douceur et d'espérance ;
> Quand le charme de l'existence
> Embellit tes traits gracieux, —
> Bien souvent alors je soupire
> En songeant que l'amer chagrin,
> Aujourd'hui loin de toi, peut t'atteindre demain,
> Et de ta bouche aimable effacer le sourire;
> Car le Temps, tu le sais, entraîne sur ses pas
> Les illusions dissipées,
> Et les feux refroidis, et les amis ingrats,
> Et les espérances trompées!
>
> Mais crois-moi mon amour! tous ces charmes naissants
> Que je contemple avec ivresse,
> S'ils s'évanouissaient sous mes bras caressants,
> Tu conserverais ma tendresse!
> Si tes attraits étaient flétris,
> Si tu perdais ton doux sourire,
> La grâce de tes traits chéris
> Et tout ce qu'en toi l'on admire,
> Va, mon cœur n'est pas incertain :
> De sa sincérité tu pourrais tout attendre.
> Et mon amour, vainqueur du Temps et du Destin,
> S'enlacerait à toi, plus ardent et plus tendre!
>
> Oui! si tous tes attraits te quittaient aujourd'hui,
> J'en gémirais pour toi; mais en ce cœur fidèle
> Je trouverais peut-être une douceur nouvelle,
> Et, lorsque loin de toi les amants auraient fui,
> Chassant la jalousie en tourments si féconde,
> Une plus vive ardeur me viendrait animer.
> Elle est donc à moi seul, dirais-je, puisqu'au monde
> Il ne reste que moi qui puisse encor l'aimer!
>
> Mais qu'osé-je prévoir ? tandis que la jeunesse
> T'entoure d'un éclat, hélas! bien passager,
> Tu ne peux te fier à toute la tendresse
> D'un cœur en qui le Temps ne pourra rien changer.
> Tu le connaîtras mieux : s'accroissant d'âge en âge,
> L'amour constant ressemble à la fleur du soleil
> Qui rend à son déclin, le soir, le même hommage
> Dont elle a, le matin, salué son réveil!

J'échappe à ces amours volages pour raconter mes
premières peines. Jamais un mot blessant, un soupir

impur, n'avaient souillé l'hommage que je rendais à
mes cousines. Héloïse, la première, me fit connaître la
douleur. Elle avait pour gouvernante une bonne
vieille Italienne qui fut instruite de mon amour. Celle-
ci s'entendit avec la servante de mon père pour nous
procurer une entrevue. On me fit descendre en secret
dans une chambre où la figure d'Héloïse était repré-
sentée par un vaste tableau. Une épingle d'argent
perçait le nœud touffu de ses cheveux d'ébène, et son
buste étincelait comme celui d'une reine, pailleté de
tresses d'or sur un fond de soie et de velours. Eperdu,
fou d'ivresse, je m'étais jeté à genoux devant l'image ;
une porte s'ouvrit, Héloïse vint à ma rencontre et me
regarda d'un œil souriant. — « Pardon, reine, m'écriai-
je, je me croyais le Tasse aux pieds d'Eléonore, ou le
tendre Ovide aux pieds de Julie !... »

Elle ne put rien me répondre, et nous restâmes tous
deux muets dans une demi-obscurité. Je n'osai lui
baiser la main, car mon cœur se serait brisé. — O douleurs et regrets de mes jeunes amours perdues, que vos
souvenirs sont cruels ! « Fièvres éteintes de l'âme
humaine, pourquoi revenez-vous encore échauffer un
cœur qui ne bat plus ? » Héloïse est mariée aujourd'hui ;
Fanchette, Sylvie et Adrienne sont à jamais perdues
pour moi : — le monde est désert. Peuplé de fantômes
aux voix plaintives, il murmure des chants d'amour sur
les débris de mon néant ! Revenez pourtant, douces
images ! j'ai tant aimé, j'ai tant souffert ! « Un oiseau
qui vole dans l'air a dit son secret au bocage, qui l'a
redit au vent qui passe, — et les eaux plaintives ont
répété le mot suprême : — Amour ! amour ! »

VII

VOYAGE AU NORD

Que le vent enlève ces pages écrites dans des instants de fièvre ou de mélancolie, — peu importe : il en
a déjà dispersé quelques-unes, et je n'ai pas le courage

de les récrire. En fait de mémoires, on ne sait jamais si
le public s'en soucie, — et cependant je suis du nombre
des écrivains dont la vie tient intimement aux ouvrages
qui les ont fait connaître. N'est-on pas aussi, sans le
vouloir, le sujet de biographies directes ou déguisées ?
Est-il plus modeste de se peindre dans un roman sous
le nom de Lélio, d'Octave ou d'Arthur, ou de trahir
ses plus intimes émotions dans un volume de poésies ?
Qu'on nous pardonne ces élans de personnalité, à
nous qui vivons sous le regard de tous, et qui, glorieux
ou perdus, ne pouvons plus atteindre au bénéfice de
l'obscurité!

Si je pouvais faire un peu de bien en passant, j'essayerais d'appeler quelque attention sur ces pauvres
villes délaissées dont les chemins de fer ont détourné
la circulation et la vie. Elles s'asseyent tristement sur
les débris de leur fortune passée, et se concentrent en
elles-mêmes, jetant un regard désenchanté sur les
merveilles d'une civilisation qui les condamne ou les
oublie. Saint-Germain m'a fait penser à Senlis, et
comme c'était un mardi, j'ai pris l'omnibus de Pontoise, qui ne circule plus que les jours de marché.
J'aime à contrarier les chemins de fer, et Alexandre
Dumas, que j'accuse d'avoir un peu brodé dernière-
ment sur mes folies de jeunesse, a dit avec vérité que
j'avais dépensé deux cents francs et mis huit jours pour
l'aller voir à Bruxelles, par l'ancienne route de Flandre,
— et en dépit du chemin de fer du Nord.

Non, je n'admettrai jamais, quelles que soient les
difficultés des terrains, que l'on fasse huit lieues, ou,
si vous voulez, trente-deux kilomètres, pour aller à
Poissy en évitant Saint-Germain, et trente lieues pour
aller à Compiègne en évitant Senlis. Ce n'est qu'en
France que l'on peut rencontrer des chemins si contre-
faits. Quand le chemin belge perçait douze montagnes
pour arriver à Spa, nous étions en admiration devant
ces faciles contours de notre principale artère, qui
suivent tour à tour les lits capricieux de la Seine et de
l'Oise, pour éviter une ou deux pentes de l'ancienne
route du Nord.

Pontoise est encore une de ces villes situées sur des

hauteurs, qui me plaisent par leur aspect patriarcal, leurs promenades, leurs points de vue, et la conservation de certaines mœurs, qu'on ne rencontre plus ailleurs. On y joue encore dans les rues, on cause, on chante le soir sur le devant des portes; les restaurateurs sont des pâtissiers; on trouve chez eux quelque chose de la vie de famille; les rues, en escaliers, sont amusantes à parcourir; la promenade tracée sur les anciennes tours domine la magnifique vallée où coule l'Oise. De jolies femmes et de beaux enfants s'y promènent. On surprend en passant, on envie tout ce petit monde paisible qui vit à part dans ses vieilles maisons, sous ses beaux arbres, au milieu de ces beaux aspects et de cet air pur. L'église est belle et d'une conservation parfaite. Un magasin de nouveautés parisiennes s'éclaire auprès, et ses demoiselles sont vives et rieuses comme dans *la Fiancée* de M. Scribe... Ce qui fait le charme, pour moi, des petites villes un peu abandonnées, c'est que j'y retrouve quelque chose du Paris de ma jeunesse. L'aspect des maisons, la forme des boutiques, certains usages, quelques costumes... A ce point de vue, si Saint-Germain rappelle 1830, Pontoise rappelle 1820; — je vais plus loin encore retrouver mon enfance et le souvenir de mes parents.

Cette fois je bénis le chemin de fer, — une heure au plus me sépare de Saint-Leu : — le cours de l'Oise, si calme et si verte, découpant au clair de lune ses îlots de peupliers, l'horizon festonné de collines et de forêts, les villages aux noms connus qu'on appelle à chaque station, l'accent déjà sensible des paysans qui montent d'une distance à l'autre, les jeunes filles coiffées de madras, selon l'usage de cette province, tout cela m'attendrit et me charme : il me semble que je respire un autre air; et, en mettant le pied sur le sol, j'éprouve un sentiment plus vif encore que celui qui m'animait naguère en repassant le Rhin : la terre paternelle, c'est deux fois la patrie.

J'aime beaucoup Paris, où le hasard m'a fait naître, — mais j'aurais pu naître aussi bien sur un vaisseau, — et Paris, qui porte dans ses armes la *bari* ou nef

mystique des Egyptiens, n'a pas dans ses murs
cent mille Parisiens véritables. Un homme du Midi,
s'unissant là par hasard à une femme du Nord, ne
peut produire un enfant de nature lutécienne. On
dira à cela, Qu'importe! Mais demandez un peu aux
gens de province s'il importe d'être de tel ou tel pays.

Je ne sais si ces observations ne semblent pas
bizarres, — cherchant à étudier les autres dans moi-
même, je me dis qu'il y a dans l'attachement à la
terre beaucoup de l'amour de la famille. Cette piété
qui s'attache aux lieux est aussi une portion du noble
sentiment qui nous unit à la patrie. En revanche, les
cités et les villages se parent avec fierté des illustrations
qui proviennent de leur sol. Il n'y a plus là division ou
jalousie locale, tout se rapporte au centre national, et
Paris est le foyer de toutes ces gloires. Me direz-vous
pourquoi j'aime tout le monde dans ce pays, où je
retrouve des intonations connues autrefois, où les
vieilles ont les traits de celles qui m'ont bercé, où les
jeunes gens et les jeunes filles me rappellent les compagnons de ma première jeunesse? Un vieillard passe :
il m'a semblé voir mon grand-père; il parle, c'est
presque sa voix; — cette jeune personne a les traits de
ma tante, morte à vingt-cinq ans; une plus jeune me
rappelle une petite paysanne qui m'a aimé et qui
m'appelait son petit mari, — qui dansait et chantait
toujours, et qui, le dimanche au printemps, se faisait
des couronnes de marguerites. Qu'est-elle devenue, la
pauvre Célénie, avec qui je courais dans la forêt de
Chantilly, et qui avait si peur des gardes-chasse et des
loups!

VIII

CHANTILLY

Voici les deux tours de Saint-Leu, le village sur la
hauteur, séparé par le chemin de fer de la partie qui
borde l'Oise. On monte vers Chantilly en côtoyant de

hautes collines de grès d'un aspect solennel, puis
c'est un bout de la forêt ; la Nonette brille dans les prés
bordant les dernières maisons de la ville. — La Nonette !
une des chères petites rivières où j'ai pêché des écre-
visses ; — de l'autre côté de la forêt coule sa sœur la
Thève, où je me suis presque noyé pour n'avoir pas
voulu paraître poltron devant la petite Célénie !

Célénie m'apparaît souvent dans mes rêves comme
une nymphe des eaux, tentatrice naïve, follement
enivrée de l'odeur des prés, couronnée d'ache et de
nénuphar, découvrant, dans son rire enfantin, entre
ses joues à fossettes, les dents de perles de la nixe germanique. Et certes, l'ourlet de sa robe était très souvent
mouillé comme il convient à ses pareilles... Il fallait lui
cueillir des fleurs aux bords marneux des étangs de
Commelle, ou parmi les joncs et les oseraies qui
bordent les métairies de Coye. Elle aimait les grottes
perdues dans les bois, les ruines des vieux châteaux,
les temples écroulés aux colonnes festonnées de lierre,
le foyer des bûcherons, où elle chantait et racontait
les vieilles légendes du pays : — Mme de Montfort,
prisonnière dans sa tour, qui tantôt s'envolait en
cygne, et tantôt frétillait en beau poisson d'or dans
les fossés de son château ; — la fille du pâtissier, qui
portait des gâteaux au comte d'Ory, et qui, forcée à
passer la nuit chez son seigneur, lui demanda son
poignard pour ouvrir le nœud d'un lacet et s'en perça
le cœur ; — les moines rouges, qui enlevaient les
femmes, et les plongeaient dans des souterrains ; — la
fille du sire de Pontarmé, éprise du beau Lautrec, et
enfermée sept ans par son père, après quoi elle meurt ;
et le chevalier, revenant de la croisade, fait découdre
avec un couteau d'or fin son linceul de fine toile.
Elle ressuscite, mais ce n'est plus qu'une goule affamée
de sang... Henri IV et Gabrielle, Biron et Marie de
Loches, et que sais-je encore de tant de récits dont sa
mémoire était peuplée ! Saint Rieul parlant aux grenouilles, saint Nicolas ressuscitant les trois petits
enfants hachés comme chair à pâté par un boucher de
Clermont-sur-Oise. Saint Léonard, saint Loup et
saint Guy ont laissé dans ces cantons mille témoignages

de leur sainteté et de leurs miracles; Célénie montait
sur les roches ou sur les dolmens druidiques, et les
racontait aux jeunes bergers. Cette petite Velléda du
vieux pays des Sylvanectes m'a laissé des souvenirs
que le temps ravive. Qu'est-elle devenue ? Je m'en
informerai du côté de La Chapelle-en-Serval ou de
Charlepont, ou de Montméliant... Elle avait des
tantes partout, des cousines sans nombre : que de
morts dans tout cela, que de malheureux sans doute
dans un pays si heureux autrefois!

Au moins Chantilly porte noblement sa misère;
comme ces vieux gentilshommes au linge blanc, à la
tenue irréprochable, il a cette fière attitude qui dissi-
mule le chapeau déteint ou les habits râpés... Tout est
propre, rangé, circonspect; les voix résonnent harmonieusement dans les salles sonores. On sent partout
l'habitude du respect, et la cérémonie qui régnait
jadis au château règle un peu les rapports des placides
habitants. C'est plein d'anciens domestiques retraités,
conduisant des chiens invalides; — quelques-uns
sont devenus des maîtres, et ont pris l'aspect vénérable
des vieux seigneurs qu'ils ont servis.

Chantilly est comme une longue rue de Versailles.
Il faut voir cela l'été, par un splendide soleil, en passant
à grand bruit sur ce beau pavé qui résonne. Tout est
préparé là pour les splendeurs princières et pour la
foule privilégiée des chasses et des courses. Rien n'est
étrange comme cette grande porte qui s'ouvre sur la
pelouse du château et qui semble un arc de triomphe,
comme le monument voisin, qui paraît une basilique
et qui n'est qu'une écurie. Il y a là quelque chose
encore de la lutte des Condé contre la branche aînée
des Bourbons. — C'est la chasse qui triomphe à défaut
de la guerre, et où cette famille trouva encore une
gloire après que Clio eut déchiré les pages de la jeunesse guerrière du Grand Condé, comme l'exprime
le mélancolique tableau qu'il a fait peindre lui-même.

A quoi bon maintenant revoir ce château démeublé
qui n'a plus à lui que le cabinet satirique de Watteau
et l'ombre tragique du cuisinier Vatel se perçant le
cœur dans un fruitier! J'ai mieux aimé entendre les

regrets sincères de mon hôtesse touchant ce bon prince
de Condé, qui est encore le sujet des conversations
locales. Il y a dans ces sortes de villes quelque chose
de pareil à ces cercles du purgatoire de Dante immo-
bilisés dans un seul souvenir, et où se refont dans un
centre plus étroit les actes de la vie passée. — « Et
qu'est devenue votre fille, qui était si blonde et gaie?
lui ai-je dit; elle s'est sans doute mariée? — Mon
Dieu oui, et depuis elle est morte de la poitrine... »
J'ose à peine dire que cela me frappa plus vivement
que les souvenirs du prince de Condé. Je l'avais vue
toute jeune, et certes je l'aurais aimée, si à cette
époque je n'avais eu le cœur occupé d'une autre... Et
maintenant voilà que je pense à la ballade allemande *la
Fille de l'hôtesse*, et aux trois compagnons, dont l'un
disait : « Oh! si je l'avais connue, comme je l'aurais
aimée! » — et le second : « Je t'ai connue, et je t'ai
tendrement aimée! » — et le troisième : « Je ne t'ai
pas connue... mais je t'aime et t'aimerai pendant
l'éternité! »

Encore une figure blonde qui pâlit, se détache et
tombe glacée à l'horizon de ces bois baignés de vapeurs
grises... J'ai pris la voiture de Senlis qui suit le cours
de la Nonette en passant par Saint-Firmin et par Cour-
teuil; nous laissons à gauche Saint-Léonard et sa
vieille chapelle, et nous apercevons déjà le haut clocher
de la cathédrale. A gauche est le champ des *Raines*,
où saint Rieul, interrompu par les grenouilles dans
une de ses prédications, leur imposa silence, et, quand
il eut fini, permit à une seule de se faire entendre à
l'avenir. Il y a quelque chose d'oriental dans cette
naïve légende et dans cette bonté du saint, qui permet
du moins à une grenouille d'exprimer les plaintes des
autres.

J'ai trouvé un bonheur indicible à parcourir les rues
et les ruelles de la vieille cité romaine, si célèbre encore
depuis par ses sièges et ses combats. « O pauvre ville!
que tu es enviée! » disait Henri IV. — Aujourd'hui,
personne n'y pense, et ses habitants paraissent peu se
soucier du reste de l'univers. Ils vivent plus à part
encore que ceux de Saint-Germain. Cette colline aux

antiques constructions domine fièrement son horizon
de prés verts bordés de quatre forêts : Halatte, Apre-
mont, Pontarmé, Ermenonville, dessinent au loin leurs
masses ombreuses où pointent çà et là les ruines des
abbayes et des châteaux.

En passant devant la porte de Reims, j'ai rencontré
une de ces énormes voitures de saltimbanques qui promènent de foire en foire toute une famille artistique,
son matériel et son ménage. Il s'était mis à pleuvoir, et
l'on m'offrit cordialement un abri. Le local était vaste,
chauffé par un poêle, éclairé par huit fenêtres, et six
personnes paraissaient y vivre assez commodément.
Deux jolies filles s'occupaient de repriser leurs ajustements pailletés, une femme encore belle faisait la cui-
sine et le chef de la famille donnait des leçons de main-
tien à un jeune homme de bonne mine qu'il dressait
à jouer les amoureux. C'est que ces gens ne se bornaient pas aux exercices d'agilité, et jouaient aussi la
comédie. On les invitait souvent dans les châteaux de
la province, et ils me montrèrent plusieurs attestations
de leurs talents, signées de noms illustres. Une des
jeunes filles se mit à déclamer des vers d'une vieille
comédie du temps au moins de Montfleury, car le
nouveau répertoire leur est défendu. Ils jouent aussi
des pièces à l'impromptu sur des canevas à l'italienne,
avec une grande facilité d'invention et de répliques. En
regardant les deux jeunes filles, l'une vive et brune,
l'autre, blonde et rieuse, je me mis à penser à Mignon
et Philine dans *Wilhelm Meister*, et voilà un rêve
germanique qui me revient entre la perspective des
bois et l'antique profil de Senlis. Pourquoi ne pas
rester dans cette maison errante à défaut d'un domicile parisien ? Mais il n'est plus temps d'obéir à ces
fantaisies de la verte bohème; et j'ai pris congé de
mes hôtes, car la pluie avait cessé.

LETTRES A JENNY

I

Je vous avais obéi, Madame; j'avais attendu pour
vous voir le jour où tout le monde en a le droit; pour
vous parler le jour où beaucoup d'autres en ont le privilège. Puis j'ai changé de pensée; je n'ai pu me
résoudre à vous adresser, en vain, quelques banales
paroles. Il faut donc vous écrire encore, et pourtant
j'avais résolu de ne plus le faire. Les lettres ne sont
bonnes que pour les amants froids ou pour les amants
heureux. On admet le trouble et l'incohérence dans la
conversation, mais les phrases écrites deviennent des
témoins éternels. Que je voudrais pouvoir anéantir
tout ce que je vous ai écrit! Votre indifférence m'aura
peut-être rendu ce service; je la remercierais de cela
du moins.

Le beau roman que je ferais pour vous si ma pensée
était plus calme! mais trop de choses s'offrent à moi
ensemble au moment où je vous écris. Vous avez eu
raison de me faire sentir que mon amour si long et si
éprouvé me rendait injuste et exigeant envers vous, qui
le connaissez à peine; mais comment en jugeant si
bien avez-vous si peu d'indulgence? Oui, il y a dans
ma tête un orage de pensées dont je suis ébloui et
fatigué sans cesse; il y a des années de rêves, de projets,
d'angoisses qui voudraient se presser dans une phrase,
dans un mot puis un doute. Ah! j'oublierai tout cela,
car vous m'avez cruellement puni d'avoir voulu m'en
prévaloir. Pourquoi vous ai-je dit une seule fois ce que
j'avais souffert pour vous! Pourquoi me suis-je vanté
d'un passé qui n'est plus, et auquel vous ne devez

rien! Une femme aime à donner plus qu'elle ne reçoit, et ce n'est pas de son côté que doit être la reconnaissance. Et qu'ai-je fait, mon Dieu! Un sourire, un serrement de main, une douce parole valent cent fois toutes mes peines, et vous m'avez accordé tout cela.

II

Vous voyez que j'ai étudié votre lettre, et qu'enfin je l'ai comprise. Que je la trouve bonne et douce, quand je songe à mes torts envers vous. Mais, qu'elle est raisonnable, qu'elle est prudente! vous étiez bien calme en l'écrivant; je vous en remercie toutefois, puisqu'elle me laisse encore un faible et dernier espoir! Ah! pauvre chère lettre! c'est jusqu'ici le seul trésor de mon amour : ne m'ôtez pas l'illusion qui me fait voir en elle une faveur bien grande, un gage inappréciable de votre bonté!

Ah! Madame, ne craignez pas de me voir désormais : vous le savez, je suis timide en face de vous, votre regard est pour moi ce qu'il y a de plus doux et de plus terrible; vous avez sur moi tout pouvoir, et ma passion même n'ose en votre présence s'exprimer que faiblement. Je vous ai dit mes souffrances avec le sourire sur les lèvres, de peur de vous effrayer; je vous ai raconté avec calme des choses qui me tenaient tellement au cœur, qu'il me semblait que j'en arrachais des fibres en vous parlant; je faisais ainsi la parodie de mes propres émotions; il me semblait qu'il était question d'un autre, et que je vous disais : Voyez ce rêveur, cet insensé, qui vous aime si follement!...

Ne redoutez rien de ma présence et de mes paroles; j'ai su calmer enfin des agitations, des inégalités, qu'il vous a été plus facile de comprendre que d'excuser peut-être; j'ai appris à redevenir courageux et patient; je ne veux plus compromettre en quelques instants toutes les chances d'une destinée, et je me dis que, dans l'affection que je vous porte, il y a trop de passé pour qu'il n'y ait pas beaucoup d'avenir.

III

Il va se présenter bientôt une occasion nouvelle de vous prouver ce que je puis pour vous; que vous attachiez ou non de l'importance à mes services, croyez qu'ils vous sont acquis pour toujours, sans conditions et sans réserve.

Et maintenant, si je vous fais cet aveu c'est que je m'abandonne à vous sans arrière-pensée et sans calcul, c'est que dussiez-vous ne m'accorder que de l'amitié, mes services auxquels de nouvelles circonstances vont peut-être donner du prix sont à vous encore sans condition et sans réserves. Disposez-en pour vous et pour vos amis et souvenez-vous que je ne croirai jamais avoir des droits qu'à vos égards et à votre amitié, la suite sera l'œuvre du temps je l'espère.

Je ne sais, il y a quelque chose qui vous enchaîne à mon égard. Si j'avais à lutter contre d'obscurs soupirants j'espère que du moins l'occasion de mon... Si j'avais le malheur qu'un attachement si [...]. Pourtant c'est cette lettre [qui] me rend quelque confiance car elle m'a montré quelque chose de votre âme, car elle a sa transparence... l'estime que je fais de vous... mais ceux-là je les réclame...

IV

Mon dieu, mon dieu que je vous remercie! Votre œil rencontrant le mien, votre main serrant la mienne. Vous le saviez bien que c'était enfin n'est-ce pas... qu'importe après cela que je n'aie pu vous dire un mot. J'y aurais peut-être perdu ce bonheur de toute une nuit... cet adoucissement passager qui me donnera la force de souffrir encore.

Ne fût-ce que de la pitié, soyez-en bénie encore.

V

Me voilà encore à vous écrire, puisque je ne puis faire autre chose que de penser à vous, et de m'occuper de vous, de vous si occupée, si distraite, si affairée,

non pas tout à fait indifférente peut-être, j'ai lieu
de le croire aujourd'hui, mais bien cruellement raisonnable, et raisonnant si bien! Oh! femme, femme!
l'artiste sera toujours en vous plus forte que l'amante!
Mais je vous aime aussi comme artiste; il y a dans
votre talent même, une partie de la magie qui m'a
charmé : marchez donc d'un pas ferme vers cette
gloire que j'oublie; et s'il faut une voix pour vous
crier : courage! s'il faut un bras pour vous soutenir;
s'il faut un corps où votre pied s'appuie pour monter
plus haut, vous savez que tout mon bonheur est de
vivre, et serait de mourir pour vous!

Mourir, grand Dieu! pourquoi cette idée me revient-
elle à tout propos, comme s'il n'y avait que ma mort
qui fût l'équivalent du bonheur que vous promettez :
la Mort! ce mot pourtant ne répand cependant rien
de sombre dans ma pensée : elle m'apparaît, couronnée
de roses pâles, comme à la fin d'un festin; j'ai rêvé
quelquefois qu'elle m'attendait en souriant au chevet
d'une femme adorée, non pas le soir, mais le matin,
après le bonheur, après l'ivresse et qu'elle me disait :
Allons, jeune homme! tu as eu ta nuit comme d'autres
ont leur jour! à présent, viens dormir, viens te reposer
dans mes bras; je ne suis pas belle moi, mais je suis
bonne et secourable, et je ne donne pas le plaisir, mais
le calme éternel!

Mais où donc cette image s'est-elle déjà offerte à
moi ? Ah! je vous l'ai dit : c'était à Naples, il y a trois
ans. J'avais fait rencontre à la Villa Reale d'une Véni-
tienne qui vous ressemblait; une très bonne femme,
dont l'état était de faire des broderies d'or pour les
ornements d'église. Le soir, nous étions allés voir
Buondelmonte à San Carlo; et puis nous avions soupé
très gaiement au café d'Europe; tous ces détails me
reviennent, parce que tout m'a frappé beaucoup, à
cause du rapport de figure qu'avait cette femme avec
vous. J'eus toutes les peines du monde à la décider à
me laisser l'accompagner, parce qu'elle avait un amant
dans les officiers suisses du Roi. Ils sont rentrés depuis
9 heures, me disait-elle, mais demain, ils peuvent
sortir de la caserne au point du jour, et le mien viendra

chez moi tout à son lever assurément; il faudra donc vous éveiller bien avant le soleil, le pourrez-vous. D'abord, lui dis-je, il y a un moyen fort naturel, c'est de ne pas dormir du tout. Cette pensée la décida à me garder, mais voilà qu'à une certaine heure, nous nous endormîmes malgré nous. Vous allez croire que l'aventure se complique après cela. Pas du tout; elle est de la dernière simplicité. Les aventures sont ce qu'on les fait et celle-là m'était trop indifférente après tout pour que je cherchasse à la pousser au drame, surtout avec un suisse pour rival, personnage probablement peu poétique. Avant le jour cette femme m'éveilla en sursaut au bruit des premières cloches. En un clin d'œil, je me trouvai habillé, conduit dehors et me voilà sur le pavé de la rue de Tolède, encore assez endormi pour ne pas trop comprendre ce qui venait de m'arriver. Je pris par les petites rues derrière Chiaia et je suis bientôt à gravir le Pausilippe au-dessus de la grotte.

Arrivé tout en haut, je me promenais... [illisible] en regardant la mer déjà bleuâtre, la ville où l'on n'entendait encore que le bruit du matin et les deux îles d'Ischia et de Nisita où le soleil commençait à dorer le haut des villas. Je n'étais pas fatigué le moins du monde [... ?...] je marchais à grands pas, je courais, je descendais les pentes, je me roulais dans l'herbe humide, mais dans mon cœur il y avait l'idée de la mort.

O Dieu! je ne sais quelle profonde tristesse habitait mon âme, mais ce n'était autre chose que la pensée cruelle que je n'étais pas aimé! J'avais vu comme le fantôme du bonheur, j'avais usé de tous les dons de Dieu, j'étais sous le plus beau ciel du monde, en présence de la nature la plus parfaite, du spectacle le plus immense qu'il soit donné aux hommes de voir, mais à cinq cents lieues de la seule femme qui existât pour moi et qui ignorait alors jusqu'à mon existence.

N'être pas aimé et n'avoir pas l'espoir de l'être jamais. Cette femme étrangère qui m'avait présenté votre vaine image et qui servait pour moi au caprice d'un soir, mais qui avait ses amours à elle, ses intérêts, ses habitudes, cette femme m'avait offert tout le plaisir qui peut exister en dehors des émotions de l'amour. Mais l'amour manquant tout cela n'était rien.

C'est alors que je fus tenté d'aller demander compte à Dieu de mon incomplète existence. Il n'y avait qu'un pas à faire : à l'endroit où j'étais, la montagne était coupée comme une falaise, la mer grondait en bas, bleue et pure ; ce n'était plus qu'un moment à souffrir. Oh! l'étourdissement de cette pensée fut terrible. Deux fois je me suis élancé et je ne sais quel pouvoir me rejeta vivant sur la terre que j'embrassai. Non, mon Dieu! vous ne m'avez pas créé pour mon éternelle souffrance. Je ne veux pas vous outrager par ma mort. Mais donnez-moi la force, donnez-moi le pouvoir, donnez-moi surtout cette résolution qui fait que les uns arrivent au trône, les autres à la gloire, les autres à l'amour!

VI

J'ai lu votre lettre, cruelle que vous êtes! Elle est si douce et [...] que je ne puis que plaindre mon sort ; mais si je vous croyais comme autrefois coquette et perfide, oh! je vous dirais comme Figaro : Madame, votre esprit se [rit] du mien! Cette pensée que l'on peut trouver un ridicule dans les sentiments les plus nobles, dans les émotions les plus sincères, me glace le sang et me rend injuste malgré moi. Oh non! vous n'êtes pas comme tant d'autres femmes! Vous avez du cœur et vous savez bien qu'il ne faut pas se jouer d'une véritable passion! Vous croyez en Dieu, n'est-ce pas ? et vous devez songer, à de certaines heures, qu'il y a sur la terre une âme qui aurait droit, peut-être un jour, de vous accuser devant lui.

Ah! méfiez-vous! non pas de votre cœur, qui est bon, mais de votre humeur, qui est légère et changeuse! Songez que vous m'avez mis dans une position telle, vis-à-vis de vous, que l'abandon me serait beaucoup plus affreux que ne le serait une infidélité quand je vous aurais obtenue. En effet, dans ce dernier cas, qu'aurais-je à dire, le ressentiment serait ridicule à mes propres yeux ; j'aurais cessé de plaire, voilà tout, et ce serait à moi de chercher des moyens plus efficaces de rentrer dans vos bonnes grâces. Je vous devrais toujours de la reconnaissance et je ne pourrais, dans tous les cas, douter de votre loyauté; mais songez au désespoir où me livrerait votre changement dans nos relations actuelles! Oh! mon Dieu! vous vous créez des craintes là où elles ne peuvent exister, pour ce qui est de la jalousie, c'est un côté bien mort chez moi. Quand j'ai pris une résolution, elle est ferme; quand je me suis résigné, c'est pour tout de bon : je pense à autre chose et j'arrange mes idées d'après les circonstances. Mon esprit sait toujours plier devant les faits irrévocables. Ainsi, ma belle amie, vous me connaissez bien, maintenant; je livre tout ceci à vos réflexions; je ne veux rien tenir que de leur effet. Ne craignez donc pas de me voir un peu. Votre présence me calme, me fait du bien, votre entretien m'est nécessaire et m'empêche de me tuer.

VII

Vous vous trompez, Madame, si vous pensez que je vous oublie ou que je me résigne à être oublié de vous. Je le voudrais, et ce serait un bonheur pour vous et pour moi sans doute; mais ma volonté n'y peut rien. La mort d'un parent, des intérêts de famille ont exigé mon temps et mes soins, et j'ai essayé de me livrer à cette diversion inattendue, espérant retrouver quelque calme et pouvoir juger enfin plus froidement ma position à votre égard. Elle est inexplicable; elle est triste et fatale de tout point; elle est *ridicule* peut-être; mais je me rassure en pensant que vous êtes la seule personne au monde qui n'ayez pas le droit de la trouver telle. Vous auriez bien peu d'orgueil, si vous vous étonniez d'être aimée à ce point et si follement.

Madame, je vous avais obéi; j'avais attendu pour vous voir le jour où tout le monde en a le droit. J'ai changé d'idée.

Oh! si j'ai réussi à mêler quelque chose de mon existence dans la vôtre, si toute une année je me suis occupé de vous préparer un triomphe, s'il y a à moi, toutes à

moi, quelques journées de votre vie, et, malgré vous,
quelques-unes de vos pensées, n'était-ce pas une peine
qui portait sa récompense avec elle ? Dans cette soirée
où je compris toutes les chances de vous plaire et de
vous obtenir, où ma seule fantaisie avait mis en jeu
votre valeur et la livrait à des hasards, je tremblais
plus que vous-même. Eh bien, alors même, tout le
prix de mes efforts était dans votre sourire. Vos
craintes m'arrachaient le cœur. Mais avec quel transport j'ai baisé vos mains glorieuses! Ah! ce n'était
pas alors la femme, c'était l'artiste à qui je rendais
hommage. Peut-être aurais-je dû toujours me contenter
de ce rôle, et ne pas chercher à faire descendre de son
piédestal cette belle idole que jusque-là j'avais adorée
de si loin.

Vous dirai-je pourtant que j'ai perdu quelque illusion en vous voyant de plus près ? Non!... mais, en se
prenant à la réalité, mon amour a changé de caractère.
Ma volonté, jusque-là si nette et si précise, a éprouvé
un moment de vertige. Je ne sentais pas tout mon
bonheur d'être ainsi près de vous, ni tout le danger que
je courais à risquer de ne pas vous plaire. Mes projets
se sont contrariés. J'ai voulu me montrer à la fois un
homme sérieux et timide, un homme utile et exigeant,
et je n'ai pas compris que les deux sentiments que je
voulais exciter ensemble se froisseraient dans votre
cœur. Plus jeune, je vous eusse touchée par une passion
plus naïve et plus chaleureuse; plus vieux, j'aurais su
mieux calculer ma marche, étudier votre caractère et
trouver à la longue les secrets que vous me cachez.
Si je vous fais un aveu si complet, c'est que je vous
sais digne de comprendre un esprit trop singulier
pour être saisi tout d'abord, trop fier pour se livrer
lui-même, sans garantie et sans espoir...

VIII

Permettez-moi de me rapprocher de vous, après
vous avoir donné le temps d'oublier mes folies. J'ai
respecté vos ordres; j'ai évité le danger de vous écrire;

j'ai mis à me calmer toutes les forces de mon âme; je n'espère, je n'attends de vous pour ce soir qu'un regard de pardon, un mot de bonté.

Hé bien, Madame, j'ai respecté vos ordres, j'ai attendu, pour vous voir, le jour où tout le monde en a le droit, pour vous parler, le jour où bien d'autres en ont le privilège. Ne redoutez rien de ma présence et de mes paroles, j'ai su calmer enfin des agitations, des inégalités, qu'il vous a été plus facile de comprendre que d'excuser, peut-être; j'ai appris à redevenir courageux et patient. Je ne veux plus compromettre, en quelques heures, toutes les chances d'une destinée à laquelle vous aviez paru prendre quelque intérêt et je me dis surtout que, dans l'affection que je vous porte, il y a trop de passé pour qu'il n'y ait pas beaucoup d'avenir.

Je voulais même ne plus vous écrire : en manquant à cette résolution, je m'expose encore à un danger dont votre bonté peut me sauver ici.

IX

Ah! ma pauvre amie! je ne sais quels rêves vous avez faits; mais moi, je sors d'une nuit terrible. Je suis malheureux par ma faute, peut-être, et non par la vôtre; mais je le suis. Oh! peut-être vous avez eu déjà quelques bonnes intentions pour moi, mais je les ai laissé perdre sans doute et je me suis exposé à votre colère un jour, un triste jour où Grand Dieu! excusez mon désordre, pardonnez-moi les combats de mon âme. Oui, c'est vrai, j'ai voulu vous le cacher en vain, je vous désire autant que je vous aime; mais je mourrais plutôt que d'exciter encore une fois votre mécontentement.

Oh! pardonnez! je ne suis pas un [?], moi; depuis trois mois, je vous suis fidèle, je le jure devant Dieu! Si vous tenez un peu à moi, voulez-vous m'abandonner encore à ces vaines ardeurs qui me tuent! Je vous avoue tout cela pour que vous y pensiez plus tard (car je vous l'ai dit, quelque espoir que vous ayez bien voulu me donner, ce n'est pas à un jour fixé que je voudrais vous obtenir); mais arrangez les choses pour

le mieux. Ah! je le sais, les femmes aiment qu'on les
force un peu; et elles ne veulent point paraître céder
sans contrainte. Mais songez-y, vous n'êtes pas pour
moi ce que sont les autres femmes; je suis plus peut-
être pour vous que les autres hommes; sortons donc
des usages de la galanterie ordinaire. Que m'importe
que vous ayez été à d'autres, que vous soyez à d'autres
peut-être!

Vous êtes la première femme que j'aime et je suis
peut-être le premier homme qui vous aime à ce point.
Si ce n'est pas là une sorte d'hymen que le ciel bénisse,
le mot amour n'est qu'un vain mot! Que ce soit donc
un hymen véritable où l'épouse s'abandonne en disant :
C'est l'heure! Il y a de certaines façons de forcer une
femme qui me répugnent. Vous le savez, mes idées
sont singulières; ma passion s'entoure de beaucoup de
poésie et d'originalité; j'arrange volontiers ma vie
comme un roman, les moindres désaccords me
choquent et les indignes manières que prennent les
hommes avec les femmes qu'ils ont possédées ne
seront jamais les miennes. Laissez-vous aimer ainsi;
cela aura peut-être quelques douceurs charmantes
que vous ignorez. Ah! ne redoutez rien, d'ailleurs, de
la vivacité de mes transports! Vos craintes seront
toujours [les miennes] et de même que je sacrifierais
toute ma jeunesse et ma force au bonheur de vous
posséder, de même aussi mon désir va s'arrêter devant
votre réserve, comme il s'est arrêté si longtemps
devant votre rigueur.

Ah! ma chère et véritable amie, j'ai peut-être tort de
vous écrire ces choses, qui ne peuvent se dire d'ordinaire qu'aux heures d'enivrement. Mais je vous sais si
bonne et si sensée que vous ne vous offenseriez pas
de paroles qui ne tendent qu'à vous faire lire encore
plus complètement dans mon cœur. Je vous ai fait
bien des concessions; faites-m'en quelques-unes aussi.
La seule chose qui m'effraie serait de n'obtenir de
vous qu'une complaisance froide, qui ne partirait pas
de l'attachement, mais peut-être de la pitié. Vous
avez reproché à mon amour d'être matériel; il ne l'est
pas, du moins dans ce sens! Que je ne vous possède

jamais si je ne dois avoir dans les bras qu'une femme résignée plutôt que vaincue. Je renonce à la jalousie; je sacrifie mon amour-propre; mais je ne puis faire abstraction des droits secrets de mon cœur sur un autre. Vous m'aimez, oui, moins que je ne vous aime sans doute; mais vous m'aimez, et, sans cela, je n'aurais pas pénétré si loin dans votre intimité. Eh bien! vous comprendrez tout ce que je cherche à vous exprimer ici : autant cela serait choquant pour une tête froide, autant cela doit toucher un cœur indulgent et tendre.

Un mouvement de vous m'a fait plaisir, c'est que vous avez paru craindre un instant, que depuis quelques jours, ma constance ne se fût démentie. Ah! rassurez-vous! J'ai peu de mérite à la conserver : il n'existe pour moi qu'une seule femme au monde!

X

Souvenez-vous, oublieuse personne, que vous m'avez accordé la permission de vous voir une heure aujourd'hui.

Je vous envoie mon médaillon en bronze pour fixer encore mieux votre souvenir. Il date déjà, comme vous pouvez voir, de l'an 1831, où il eut les honneurs du musée. Ah! j'ai été l'une de nos célébrités parisiennes et je remonterais encore aujourd'hui à cette place que j'ai négligée pour vous, si vous me donniez lieu de chercher à vous rendre fière de moi. Vous vous plaignez de quelques heures que je vous ai fait perdre, mais mon amour m'a fait perdre des années, et pourtant je les rattraperais bien vite si vous vouliez. Mais que m'importe la gloire tant qu'elle ne prendra pas vos traits pour me couronner. Il y en aura une toujours dans laquelle s'absorberont tous mes efforts, c'est la vôtre; et jamais mes assiduités les plus grandes ne tendraient à vous la faire oublier. Etudiez donc fortement, mais accordez-moi quelques-uns de vos instants de repos et surtout tranquillisez-vous sur mes intentions. Je

suis aujourd'hui d'une humeur fort peu tragique, et
je me suis adouci comme la température; puissiez-vous
avoir fait de même; je le désire sans l'espérer.

G. DE N.

XI

Je vous réponds bien vite pour que vous ne me
croyiez pas mécontent ou découragé. Oh! comme vous
connaissez bien votre pouvoir sur moi! Comme vous
en usez et abusez sans pitié! Moi, je ris à travers mes
larmes, je ris par un suprême effort de courage, comme
l'Indien qu'on brûle, comme le martyr qu'on tenaille;
je suis content de moi, je me trouve sublime et j'excite
ma propre admiration.

Jamais je n'ai été si convaincu de cette vérité, que
mon amour pour vous est ma religion. Les solitaires
de la Thébaïde avaient comme moi des nuits affreuses;
ils se tordaient comme moi sous des désirs impi-
toyables et ils offraient leurs souffrances en holo-
caustes à l'Eternel; mais c'étaient des gens qui vivaient
d'eau et de racines; c'étaient peut-être aussi des tem-
péraments paisibles et non de ces natures nerveuses,
où la passion n'a pas moins de prise que la douleur.
Oh! vous êtes bien calme et bien tranquille, vous!
Vous me parlez de fidélité sans récompense comme à
un chevalier du moyen âge, chevauchant à quelque
entreprise dans sa froide armure de fer. J'ai bien un
peu de ce sang-là dans les veines, moi, pauvre et
obscur descendant d'un châtelain du Périgord; mais
les temps sont bien changés et les femmes aussi!
Gardez-nous la fidélité des anciens temps et nous nous
résignerons peut-être à faire de même. Mais, en vérité,
ce serait là bien du temps et du bonheur perdus!

Voyez-vous, je vous parle en riant; mais je tremble
que votre lettre ne soit pas tout à fait sérieuse. Il y a
toujours quelque niaiserie à trop respecter les femmes
et elles prennent souvent avantage d'une trop grande

délicatesse pour exiger des sacrifices dont elles se
raillent en secret. Oh! je suis bien loin de vous croire
coquette ou perfide! mais cette pensée... sacrifié!...

XII

Pauvre amie, je vous ai encore bien tourmentée bien
bien inquiétée, mais c'est la dernière fois. Quand je
vous verrai ainsi, froide et contrainte, je comprendrai
bien qu'il existe une de ces raisons dont nous avons
parlé à voix basse et que votre cœur se resserre à l'approche du mien, comme une fleur craintive. Mon
Dieu! ne craignez rien; je me fais à cette idée, si
pénible qu'elle puisse être. Que vous m'aimiez plus
qu'un autre, je ne puis rien vouloir de plus. Oh! nous
sommes fiancés dans la vie et dans la mort! Qu'im-
portent les hommes et les indignes obligations de
l'existence ? Une heure de liberté entre nous, de baisers
doux et brûlants, d'effusions célestes, et tout le reste
est oublié! Dans les concessions où votre amour
m'entraîne, j'abdique volontiers ma fierté d'homme
et mes prétentions d'amant, mais de votre côté prenez
un peu pitié de mes peines mortelles et de cette terrible
exaltation, dont je ne puis répondre toujours! Songez
qu'elle vient moins de la jalousie que de la crainte
d'être abusé. Aujourd'hui, cette crainte est moins
forte; je crois en vos paroles. La permission que vous
m'avez donnée de me regarder du moins comme ayant
tout obtenu de vous, en attendant l'instant de votre
bon vouloir, tout cela me rassure : car vous ne pouvez
plus revenir là-dessus; car vous savez bien qu'il y a
votre parole dans un des plateaux de la balance, et
dans l'autre toute ma vie, tout l'effort d'une âme
énergique qui, du point où vous lui avez permis
d'atteindre, ne peut tomber qu'en se brisant et en
entraînant peut-être quelque destinée avec la sienne.
Eh bien! maintenant, rassurez-vous donc! Je vous ai
demandé une heure aujourd'hui, vous me l'auriez
peut-être...

XIII

Je ne puis me remettre encore de l'étrange soirée que nous avons passée hier : que de bonheur et d'amertume ensemble dans ce souvenir! Je voudrais pouvoir m'écrier comme St-Preux : « Mon Dieu! vous m'avez donné une âme pour la souffrance; donnez-m'en une pour la joie! » Mais je suis aussi mécontent de moi-même que reconnaissant envers vous. Mon âme est bouleversée. Il y a comme un cercle de fer autour de mon front. Je vous demande un jour pour me reconnaître; car il me faut un jour, au moins, pour me reposer de ma nuit et que vous en dirais-je d'ailleurs ? Faut-il vous ennuyer encore de mon tourment ou vous effrayer de mes agitations ? Non! j'ai tant de choses à vous dire encore, que je ne veux pas les perdre dans une froide lettre... Quoi de plus triste qu'une lettre ? quoi de plus facile pour une pensée indifférente et de plus malaisé pour un cœur bien épris ? La pensée se glace en se traduisant en phrases, et les plus douces émotions de l'amour ressemblent alors à ces plantes desséchées, que l'on presse entre des feuillets, afin de les conserver. Mais songer! que tout cela peut être lu dans un instant de contrariété, d'ennui, d'humeur légère ou songer que ce peut être par là qu'on vous juge et que l'on peut jouer sur un morceau de papier son avenir et son bonheur, sa vie et sa mort! Non! non! je ne vous écris pas sérieusement aujourd'hui, et je garde les belles fleurs de mon amour, qui ne veulent plus s'épanouir que près de vous et sous vos yeux!

XIV

Mon Dieu! mon Dieu! je suis allé vous voir, un instant pourquoi ?... quoi! vous n'êtes donc pas si irritée que je le croyais! quoi! vous avez encore un sourire pour ma présence, un doux rayon de soleil pour moi et j'emporte ce soir cette faveur imprévue de peur d'être détrompé par un mot! Insensé que je

suis toujours, moi qui me croyais déjà plus sage. Un
regard m'abat, un rien me relève et je ne me sens fort
que loin de vos yeux!

Oui, j'ai mérité d'être humilié par vous! oui, je dois
payer encore de beaucoup de souffrances l'instant d'orgueil auquel j'ai cédé! Ah! c'était une risible ambition
que celle-là! Me croire quelque chose près d'une femme
et de votre talent et de votre beauté! prétendre vous
prêter l'a[ppui] de je ne sais quelle [...] et vous parler
comme un roi couronné [dont] votre succès [...] au
nom de cette misérable autorité! [Eussiez-vous réduit
trop bas] je dois [...] mes prétentions à vous servir.
J'accepte. Vos dédains me sont encore une justice.

Ne craignez rien, j'attends! ne craignez rien...

XV

Deux jours sans vous! sans te voir, cruelle! Oh!
si tu m'aimes, nous sommes encore bien malheureux :
toi, tes leçons, ton théâtre, tes occupations; moi, mes
journaux, mes théâtres, et une foule encore de tracas
et d'ennuis. Hier, je ne sais à quoi j'ai passé ma journée.
Je suis allé et venu. [J'ai vu une foule de figures devant
lesquelles il fal[lait]...] [J'ai voulu rendre compte du
Camp de la Mort.] Ma tête était près de toi et comme
tout le monde en disait du mal, je n'ai pas osé le juger
si mal sans l'avoir vu. Ce n'est pas la faute de ce
pauvre jeune h[omme] si je suis amoureux et si je n'ai
pas vu sa première représentation. [Je suis allé voir la
pièce.] Je l'aurai peut-être jugée avec plus d'indulgence
ainsi et je viens de dire pourquoi.

Il ne faut pas rire de cela, ou rire de cet Adolphe
Dumas qui est l'auteur de cette pièce. [—]

XVI

Vous êtes bien la plus étrange personne du monde et
je serais indigne de vous admirer si je me lassais de
vos inégalités et de vos caprices.

Oui, je vous aime ainsi, bien plus, je vous admire
et je serais fâché que vous fussiez autrement. A un
amour tel que le mien il fallait une lutte pénible et
compliquée; à cette passion infatigable il fallait une
résistance inouïe; à ces ruses, à ces travaux, à cette
sourde et constante activité, qui ne néglige aucun
moyen, qui ne repousse aucune concession, ardente
comme une passion espagnole, souple comme un lien
italien, il fallait toutes les ressources, toutes les finesses
de la femme, tout ce qu'une tête intelligente peut
rassembler de forces contre un cœur bien résolu. Il
fallait tout cela, sans doute, et je vous aurais peu
estimée d'avoir cru la résistance plus facile et l'épreuve
moins dangereuse...

Toutefois, ne craignez rien : je suis encore mal remis
du coup qui m'a frappé et il me faut du temps pour
me reconnaître.

XVII

Je suis plus calme aujourd'hui qu'hier; je me réveille
plein d'espoir et de courage. Mon Dieu! la mauvaise
saison pour aimer, que l'hiver! On ne devrait aimer
qu'au printemps, comme les petits oiseaux. Moi, qui
voudrais pouvoir jeter sous vos pieds un manteau de
verdure et de fleurs, moi qui voudrais rêver avec vous
sous les ombrages parfumés, au bruit des eaux murmu-
rantes, je viens à vous par un temps de brume et de
gelée et mon beau drame, si chaleureux et si bien...
n'a point de décoration!

Madame, si vous ne m'aimez pas un peu, je suis
perdu. Si vous n'avez pas un peu de bonté, ma conduite
est absurde et la vôtre est cruelle. Je crains bien des
choses encore : j'ai peur que mon abnégation ne vous
semble de la faiblesse, j'ai peur que vous ne vous las-
siez d'un amour trop entier, trop ardent, pour savoir
revêtir les formes vaines de la simple galanterie. La
conjugaison éternelle du verbe « aimer » ne convient
peut-être qu'aux âmes tout à fait naïves. Mais je vous
ai dit combien je suis jeune encore d'émotions et il m'a

semblé qu'il y avait dans votre cœur une fraîcheur de sentiments qui n'avait jamais peut-être été comprise... ou qui n'[...]

Mais j'y songe; je suis sûr que vous allez beaucoup rire de ma lettre et de mes terreurs et que nous en rirons ensemble ce soir. Si elle devait vous déplaire, *songez à notre traité*. J'ai votre parole, que vous deviez tenir, *pourvu que je vous écrive* une lettre un peu longue; prenez celle-ci pour un rêve. Ecoutez! je ne demande qu'à vous voir un instant!

XVIII

Vous,

Je me réveille en sautant et en poussant des cris de joie!

Mon amie, le bonheur est une chose noble et sérieuse, et il n'y a de gaieté folle que pour les plaisirs de l'enfant. J'ai la joie du ciel dans le cœur; vos bontés me ravissent, et c'est de l'enthousiasme aujourd'hui que j'éprouve pour vous. Que vous soyez aussi bonne que belle, aussi sensible que charmante, ah! voilà ce que je n'avais jamais osé espérer, voilà ce qui m'aurait donné cent fois plus de force encore; mais j'ai manqué de confiance en vous et en moi-même et j'en ai été puni par de bien longues douleurs.

Maintenant, que viens-je vous offrir? Une âme abattue, endolorie, qui peut à peine comprendre que ses mauvais jours sont passés et qui se remet encore de temps à autre à s'attrister, par habitude. Oh! les transports de la jeunesse, les éclairs des yeux qui se rencontrent, l'imagination qui déborde en de ravissantes extases! Serez-vous assez récompensée de vous sacrifier par l'ivresse d'un pauvre cœur, où le bonheur revêtira peut-être des apparences moins séduisantes que le désir et la... Oh! tout cela me reviendra-t-il comme au temps où mon amour, inconnu de vous, était pur et céleste?...

Nous avons maintenant à nous garder d'une chose; c'est de cet abattement qui succède à toute tension violente, à tout effort surhumain; pour qui n'a qu'un

désir modéré, la réussite est une suprême joie qui fait
éclater toutes les facultés humaines. C'est un point
lumineux dans l'existence qui ne tarde pas à pâlir
et à s'éteindre. Mais pour les cœurs plus profondément épris, l'excès d'émotion mêle pour un instant
tous les ressorts de la vie ; le trouble est grand, la
confusion est profonde et la tête se courbe en frémissant, comme sous le souffle de Dieu.

Hélas ! que sommes-nous, pauvres créatures, et
comment répondre dignement à la puissance de pensée
que le ciel a mise en nous ! Je ne suis qu'un homme et
vous une femme, et l'amour qui est entre nous...

Ne dérangez personne de chez vous par le temps
qu'il fait...

XIX

J'avais résolu de ne plus vous écrire, Madame. Les
lettres ne sont bonnes que pour les amants froids ou
pour les amants heureux. On admet l'incohérence
dans les paroles ; mais les phrases écrites deviennent
des témoins éternels. Je voudrais pouvoir anéantir
toutes les lettres que je vous ai adressées ; votre indifférence m'aura peut-être rendu ce service ; mais le
souvenir reste encore, et c'est trop. Combien n'en ai-je
pas déchiré pourtant ! J'en écris une vraie et sentie,
mais dont la violence risquerait de vous effrayer ; puis
une autre réfléchie et calculée, où je m'applique à vous
paraître patient et raisonnable ; et ce n'est aucune des
deux que je vous envoie, mais une troisième écrite à
la hâte et parce qu'il faut en finir, faite avec les lam-
beaux des autres, où les phrases ne se suivent pas, où
les idées se confondent, une lettre folle et blessante et
qui défait tout mon ouvrage.

N'attendez pas de moi des phrases de roman ; je ne
suis ni Saint-Preux ni Werther ; ou plutôt, je sens trop
vivement pour écrire comme eux des lettres éloquentes
et ménagées.

Le beau roman que je vous écrirais, si j'étais moins
sincère !... Il y a des années d'angoisses, de rêves, de

projets, qui voudraient se presser dans une phrase, dans un mot... Votre lettre m'a fait assez expier mes torts; j'ai senti également toute l'imprudence et toute la dureté de ma conduite... Je suis retombé à vos pieds.

XX

Madame, puisque le malheur veut qu'une circonstance insignifiante vienne tout à coup m'arracher à ce peu de calme que j'avais retrouvé enfin et qui me servait à préparer l'avenir, puisque tout un passé qu'il fallait oublier revient gronder à mes oreilles et me rapporter à la fois ses émotions et son vertige, écoutez donc quelques mots encore et vous y gagnerez peut-être des mois de résignation et de silence de ma part :

Que vous ayez, en un seul jour, oublié tant de dévouement, dont vous aviez des preuves, tant de loyauté et de bonne foi qui se trahissaient dans mes moindres rapports, que vous ayez même flétri d'un doute une proposition qui honorait mon cœur, même en admettant que mon amour-propre en eût mis trop haut l'importance, — je ne vous en veux pas, j'accepte cette punition cruelle d'une imprudence probable dont j'ai peine à me rendre compte même aujourd'hui... Mais je ne vois dans tout cela rien d'irréparable. Je ne suis coupable d'aucun de ces crimes qu'une femme ne peut pardonner et, vous l'avouerai-je, l'excès même de votre ressentiment m'a découragé moins que n'eût fait le dédain d'une âme indifférente. J'aurais perdu tout espoir si vous m'eussiez quitté par ennui, par fatigue, ou par la diversion d'un autre attachement; mais rien de tout cela! Mon amour a été tranché dans le vif; il y a une blessure et non une plaie. Je ne puis me rappeler ce jour fatal sans penser à la veille, si belle et si enivrante qu'il eût fallu mourir après. Mon Dieu! notre pauvre lune de miel n'a guère eu qu'un premier quartier... et vous me connaissez si peu encore, que vous ne m'avez ni bien compris jusqu'ici, ni bien jugé. Vos injustices en seraient une preuve déjà. Oh! daignez interroger votre cœur et vous vous direz qu'il y a

malgré tout quelque chose qui bat encore pour moi,
que tous ces hommes qui vous ont entourée depuis
quelque temps sont plus riches et plus beaux, mais
n'ont pas cette âme, cet esprit même que vous aviez
su distinguer, qu'ils sont frivoles surtout et aussi inca-
pables d'aimer que de sentir en eux l'ambition des
grandes choses. Ah! l'amour et l'art nous réuniront
malgré tout! Vous sentirez que toutes ces relations
brillantes laissent un côté vide dans le cœur, que c'est
beaucoup d'avoir rencontré un ami fidèle, soumis, dont
l'affection se conserve pure, à travers toutes sortes
d'amertumes. Pourquoi vous risqueriez-vous à choisir
quelque autre que moi ? Je sais vos habitudes; vous
pouvez me rendre prudent par beaucoup de confiance.
Quel intérêt aurais-je à vous compromettre aujour-
d'hui ? Je sais maintenant de quoi il faudra se garder
et je tiens, d'ailleurs, à m'isoler de plus en plus, à
vivre tout à fait pour vous. Ce n'est pas difficile pour
qui ne pense qu'à vous seule... Eh bien! vous me verriez
aussi rarement qu'il vous plairait. Nous trouverions
les précautions les plus sûres. Puisque vous avez tant
à craindre, votre secret sera sous la garde de mon
honneur. Mais j'ai besoin de vous voir un peu de
temps en temps, de vous voir à tout prix; je vous ai
aperçue hier et vous étiez si belle, vous aviez l'air si
doux!... J'ai retrouvé dans vos traits quelque chose de
cette expression de bonté qui me charmait tant, quand
vous m'étiez favorable.

Ah! cruelle femme, ne dites pas que vous ne m'avez
pas aimé! autrement, vous auriez été bien trompeuse!
Si vous m'aimiez, vous m'aimez toujours. Vous êtes
touchée de cette passion qui survit à tout, qui garde
pour elle toute l'humiliation et tout le malheur et qui
vous laisse à vous toute liberté, toute fantaisie, qui ne
se plaint pas même de votre inconstance, mais seulement de votre injustice...

Vous serez bien avancée quand vous m'aurez fait
mourir! Que diriez-vous, si j'allais me tuer, comme
D...!

PANDORA

Texte établi
par
J. Guillaume

> « Deux âmes, hélas! se partageaient mon
> sein, et chacune d'elles veut se séparer de
> l'autre : l'une, ardente d'amour, s'attache
> au monde par le moyen des organes du
> corps; un mouvement surnaturel entraîne
> l'autre loin des ténèbres, vers les hautes
> demeures de nos aïeux. »
>
> FAUST.

Vous l'avez tous connue, ô mes amis! la belle Pandora du théâtre de Vienne. Elle vous a laissé sans doute, ainsi qu'à moi-même, de cruels et doux souvenirs! C'était bien à elle, peut-être, — à elle, en vérité, — que pouvait s'appliquer l'indéchiffrable énigme gravée sur la pierre de Bologne : *ÆLIA LÆLIA*. — *Nec vir, nec mulier, nec androgyna*, etc. « Ni homme, ni femme, ni androgyne, ni fille, ni jeune, ni vieille, ni *chaste*, ni *folle*, ni pudique, mais tout cela ensemble... » Enfin, *la Pandora*, c'est tout dire, — car je ne veux pas dire tout.

O Vienne, la bien gardée! rocher d'amour des paladins! comme disait le vieux Menzel, tu ne possèdes pas la coupe bénie du Saint-Graal mystique, mais le *Stock-im-Eisen* des braves compagnons. Ta montagne d'aimant attire invinciblement la pointe des épées, et le Magyar jaloux, le Bohême intrépide, le Lombard généreux mourraient pour te défendre aux pieds divins de *Maria-Hilf!*

Je n'ai pu moi-même planter le clou symbolique dans le tronc chargé de fer *(Stock-im-Eisen)* posé à

l'entrée du Graben, à la porte d'un bijoutier; mais j'ai
versé mes plus douces larmes et les plus pures effusions
de mon cœur le long des places et des rues, sur les
bastions, dans les allées de l'Augarten et sous les bosquets du Prater. J'ai attendri de mes chants d'amour
les biches timides et les faisans privés. J'ai promené
mes rêveries sur les rampes gazonnées de Schoenbrunn.
J'adorais les pâles statues de ces jardins que couronne
la *Gloriette* de Marie-Thérèse, et les chimères du vieux
palais m'ont ravi mon cœur pendant que j'admirais
leurs yeux divins et que j'espérais m'allaiter à leur sein
de marbre éclatant.

Pardonne-moi d'avoir surpris un regard de tes
beaux yeux, auguste archiduchesse, dont j'aimais tant
l'image, peinte sur une enseigne de magasin. Tu me
rappelais l'autre..., rêve de mes jeunes amours, pour
qui j'ai si souvent franchi l'espace qui séparait mon
toit natal de la ville des Stuarts! J'allais à pied, traversant plaines et bois, rêvant à la Diane valoise qui
protège les Médicis; et, quand, au-dessus des maisons
du Pecq et du pavillon d'Henri IV, j'apercevais les
tours de brique, cordonnées d'ardoises, alors je tra-
versais la Seine, qui languit et se replie autour de ses
îles, et je m'engageais dans les ruines solennelles du
vieux château de Saint-Germain. L'aspect ténébreux
des hauts portiques, où plane la souris chauve, où fuit
le lézard, où bondit le chevreau qui broute les vertes
acanthes, me remplissait de joie et d'amour. Puis,
quand j'avais gagné le plateau de la montagne, fût-ce
à travers le vent et l'orage, quel bonheur encore
d'apercevoir, au-delà des maisons, la côte bleuâtre de
Mareil, avec son église où reposent les cendres du
vieux seigneur de Monteynard!

Le souvenir de mes belles cousines, ces intrépides
chasseresses que je promenais autrefois dans les bois,
belles toutes deux comme les filles de Léda, m'éblouit
encore et m'enivre.

Pourtant je n'aimais qu'elle, *alors!*...

Il faisait très froid à Vienne, le jour de la Saint-
Sylvestre, et je me plaisais beaucoup dans le boudoir

de la Pandora. Une lettre qu'elle faisait semblant
d'écrire n'avançait guère, et les délicieuses pattes de
mouche de son écriture s'entremêlaient follement avec
je ne sais quelles arpèges mystérieuses qu'elle tirait
par instant des cordes de sa harpe, dont la crosse dis-
paraissait sous les enlacements d'une sirène dorée.

Tout à coup, elle se jeta à mon cou et m'embrassa,
en disant avec un fou rire :

— Tiens, c'est un petit prêtre! Il est bien plus amusant que mon baron!

J'allai me rajuster à la glace; car mes cheveux châ-
tains se trouvaient tout défrisés, et je rougis d'humiliation en sentant que je n'étais aimé qu'à cause d'un
certain petit air ecclésiastique que me donnaient ma
contenance timide et mon habit noir.

— Pandora, lui dis-je, ne plaisantons pas avec
l'amour ni avec la religion, car c'est la même chose,
en vérité.

— Mais j'adore les prêtres, dit-elle; laissez-moi
mon illusion.

— Pandora, dis-je avec amertume, je ne remettrai
plus cet habit noir, et, quand je reviendrai chez vous,
je porterai mon habit bleu à boutons dorés, qui me
donne l'air cavalier.

— Je ne vous recevrai qu'en habit noir, dit-elle.

Et elle appela sa suivante.

— Röschen!... si monsieur que voilà se présente en
habit bleu, vous le mettrez dehors, et vous le consigne-
rez à la porte de l'hôtel. — J'en ai bien assez, ajouta-
t-elle avec colère, des attachés d'ambassade en bleu
avec leurs boutons à couronne, et des officiers de Sa
Majesté impériale, et des magyars avec leurs habits
de velours et leurs toques à aigrette! Ce petit-là me
servira d'abbé. — Adieu, l'abbé! C'est convenu, vous
viendrez me chercher demain en voiture, et nous irons
en partie fine au Prater... mais vous serez en habit
noir.

Chacun de ces mots m'entrait au cœur comme une
épine. Un rendez-vous, un rendez-vous positif pour le
lendemain, premier jour de l'année, et en habit noir
encore! Et ce n'était pas tant l'habit noir qui me déses-

pérait : mais ma bourse était vide! quelle honte! vide,
hélas! le propre jour de la Saint-Sylvestre!...

Poussé par un fol espoir, je me hâtai de courir à la
poste, pour voir si mon oncle ne m'avait pas adressé
une lettre chargée.

O bonheur! on me demande deux florins, et l'on me
remet une épître qui porte le timbre de France. Un
rayon de soleil tombait d'aplomb sur cette lettre insi-
dieuse; les lignes s'y suivaient impitoyablement, sans
le moindre croisement de mandat sur la poste ou
d'effets de commerce. Elle ne contenait, de toute évi-
dence, que des maximes de morale et des conseils
d'économie.

Je la rendis en feignant prudemment une erreur de
gilet, et je frappai, avec une surprise affectée, des
poches qui ne rendaient aucun son métallique; puis
je me précipitai dans les rues populeuses qui entourent
Saint-Etienne.

Heureusement, j'avais à Vienne un ami. C'était un
garçon fort aimable, un peu fou, comme tous les Alle-
mands, docteur en philosophie, et qui cultivait avec
agrément quelques dispositions vagues à l'emploi de
ténor léger.

Je savais bien où le trouver, c'est-à-dire chez sa
maîtresse, une nommée Rosa, figurante au théâtre de
Leopoldstadt; il lui rendait visite tous les jours de
deux à cinq heures. Je traversai rapidement la Rothen-
thor, je montai le faubourg, et, dès le bas de l'escalier,
je distinguai la voix de mon compagnon, qui chantait
d'un ton langoureux :

Einen Kuss von rosiger Lippe,
Und ich fürchte nicht Sturm und nicht Klippe!

Le malheureux s'accompagnait d'une guitare, ce
qui n'est pas encore ridicule à Vienne, et se donnait
des poses de ménestrel. Je le pris à part et lui confiai
ma situation.

— Mais tu ne sais pas, me dit-il, que c'est aujour-
d'hui la Saint-Sylvestre ?...

— Oh! c'est juste! m'écriai-je en apercevant sur la

cheminée de Rosa une magnifique garniture de vases remplis de fleurs. Alors, je n'ai plus qu'à me percer le cœur, ou à m'en aller faire un tour vers l'île Lobau, là où se trouve la plus forte branche du Danube ?

— Attends encore, dit-il en me saisissant le bras.

Nous sortîmes. Il me dit :

— J'ai sauvé ceci des mains de Dalilah... Tiens, voilà deux écus d'Autriche ; ménage-les bien, et tâche de les garder intacts jusqu'à demain, car c'est le grand jour.

Je traversai les glacis couverts de neige, et je rentrai à Leopoldstadt, où je demeurais chez des blanchisseuses. J'y trouvai une lettre qui me rappelait que je devais participer à une brillante représentation où assisterait une partie de la cour et de la diplomatie. Il s'agissait de jouer des charades. Je pris mon rôle avec humeur, car je ne l'avais guère étudié. La Kathi vint me voir, souriante et parée, *bionda grassota*, comme toujours, et me dit des choses charmantes dans son patois mélangé de morave et de vénitien. Je ne sais trop quelle fleur elle portait à son corsage, et je voulus l'obtenir de son amitié. Elle me dit d'un ton que je ne lui avais pas connu encore :

— Jamais pour moins de *zehn Gulden-Conventionsmünze* (de dix florins en monnaie de convention) !

Je fis semblant de ne pas comprendre. Elle s'en alla furieuse, et me dit qu'elle irait trouver son vieux baron, qui lui donnerait de plus riches étrennes.

Me voilà libre. Je descends le faubourg en étudiant mon rôle, que je tenais à la main. Je rencontrai Wahby la Bohême, qui m'adressa un regard languissant et plein de reproches. Je sentis le besoin d'aller dîner à la Porte-Rouge, et je m'inondai l'estomac d'un tokay rouge à trois kreutzers le verre, dont j'arrosai des côtelettes grillées, du wurschell et un entremets d'escargots.

Les boutiques, illuminées, regorgaient de visiteuses, et mille fanfreluches, bamboches et poupées de Nuremberg grimaçaient aux étalages, accompagnées d'un concert enfantin de tambours de basque et de trompettes de fer-blanc.

— Diable de conseiller intime de sucre candi! m'écriai-je en souvenir d'Hoffmann.

Et je descendis rapidement les degrés usés de la taverne des *Chasseurs*. On chantait la *Revue nocturne* du poète Zedlitz. La grande ombre de l'empereur planait sur l'assemblée joyeuse, et je fredonnais en moi-même :

O Richard!...

Une fille charmante m'apporta un verre de *Bayerisch Bier*, et je n'osai l'embrasser parce que je songeais au rendez-vous du lendemain.

Je ne pouvais tenir en place. J'échappai à la joie tumultueuse de la taverne, et j'allai prendre mon café au Graben. En traversant la place Saint-Etienne, je fus reconnu par une bonne vieille décrotteuse, qui me cria, selon son habitude : « — Sacré n... de D...! », seuls mots français qu'elle eût retenus de l'invasion impériale.

Cela me fit songer à la représentation du soir; car, autrement, je serais allé m'incruster dans quelque stalle du théâtre de la porte de Carinthie, où j'avais l'usage d'admirer beaucoup mademoiselle Lutzer. Je me fis cirer, car la neige avait fort détérioré ma chaussure.

Une bonne tasse de café me remit en état de me présenter au palais. Les rues étaient pleines de Lombards, de Bohêmes et de Hongrois en costumes. Les diamants, les rubis, et les opales étincelaient sur leur poitrine, et la plupart se dirigeaient vers la *Burg*, pour aller offrir leurs hommages à la famille impériale.

Je n'osai me mêler à cette foule éclatante; mais le souvenir chéri de l'autre... me protégea encore contre les charmes de l'artificieuse Pandora.

On me fit remarquer au palais de France que j'étais fort en retard. La Pandora dépitée s'amusait à faire faire l'exercice à un vieux baron et à un jeune prince grotesquement vêtu en étudiant de carnaval. Ce jeune *renard* avait dérobé à l'office une chandelle des six dont il s'était fait un poignard. Il en menaçait les tyrans en déclamant des vers de tragédie et en invoquant l'ombre de Schiller.

Pour tuer le temps, on avait imaginé de jouer une charade *à l'impromptu.* — Le mot de la première était *Maréchal.* Mon premier c'est *marée.* — Vatel, sous les traits d'un jeune attaché d'ambassade, prononçait un soliloque avant de se plonger dans le cœur la pointe de son épée de gala. Ensuite, un aimable diplomate rendait visite à la dame de ses pensers; il avait un quatrain à la main et laissait percer la frange d'un *schall* dans la poche de son habit. — Assez, suspends! (sur ce *pan*) disait la maligne Pandora en tirant à elle le cachemire vrai-Biétry, qui se prétendait *tissu* de Golconde. Elle dansa ensuite le pas du *schall* avec une négligence adorable. Puis la troisième scène commença et l'on vit apparaître un illustre *Maréchal* coiffé du chapeau historique.

On continua par une autre charade dont le mot était *Mandarin.* — Cela commençait par un *mandat,* qu'on me fit signer, et où j'inscrivis le nom glorieux de Macaire (Robert), baron des Adrets, époux en secondes noces de la trop sensible Eloa. Je fus très applaudi dans cette bouffonnerie. Le second terme de la charade était *Rhin.* On chanta les vers d'Alfred de Musset. Le tout amena naturellement l'apparition d'un véritable *Mandarin* drapé d'un cachemire, qui, les jambes croisées, fumait paresseusement son houka. — Il fallut encore que la séduisante Pandora nous jouât un tour de sa façon. Elle apparut en costume des plus légers, avec un caraco blanc brodé de grenats et une robe volante d'étoffe écossaise. Ses cheveux nattés en forme de lyre se dressaient sur sa tête brune ainsi que deux cornes majestueuses. Elle chanta comme une ange la romance de Déjazet : « Je suis Tching-Ka!... »

On frappa enfin les trois coups pour le proverbe intitulé *Madame Sorbet.* Je parus en comédien de province, comme le *Destin* dans le *Roman comique.* Ma froide *Etoile* s'aperçut que je ne savais pas un mot de mon rôle et prit plaisir à m'embrouiller. Le sourire glacé des spectatrices accueillit mes débuts et me remplit d'épouvante. En vain le vicomte s'exténuait à me souffler les belles phrases perlées de M. Théodore Leclercq, je fis manquer la représentation.

De colère, je renversai le paravent, qui figurait un salon de campagne. — Quel scandale! — Je m'enfuis du salon à toutes jambes, bousculant, le long des escaliers, des foules d'huissiers à chaînes d'argent et d'heiduques galonnés, et, m'attachant *des pattes de cerf*, j'allai me réfugier honteusement dans la taverne des *Chasseurs*.

Là, je demandai un pot de vin nouveau, que je mélangeai d'un pot de vin vieux, et j'écrivis à la déesse une lettre de quatre pages, d'un style abracadabrant. Je lui rappelais les souffrances de Prométhée, quand il mit au jour une créature aussi dépravée qu'elle. Je critiquai sa boîte à malice et son ajustement de bayadère. J'osai même m'attaquer à ses pieds serpentins, que je voyais passer insidieusement sous sa robe. — Puis j'allai porter la lettre à l'hôtel où elle demeurait.

Sur quoi je retournai à mon petit logement de Leopoldstadt, où je ne pus dormir de la nuit. Je la voyais dansant toujours avec deux cornes d'argent ciselé, agitant sa tête empanachée, et faisant onduler son col de dentelles gaufrées sur les plis de sa robe de brocart.

Qu'elle était belle en ses ajustements de soie et de pourpre levantine, faisant luire insolemment ses blanches épaules, huilées de la sueur du monde! Je la domptai en m'attachant désespérément à ses cornes, et je crus reconnaître en elle l'altière Catherine, impératrice de toutes les Russies. J'étais, moi, le prince de Ligne, — et elle ne fit pas de difficultés de m'accorder la Crimée, ainsi que l'emplacement de l'ancien temple de Thoas. — Je me trouvai tout à coup moelleusement assis sur le trône de Stamboul.

— Malheureuse! lui dis-je, nous sommes perdus par ta faute, et le monde va finir! Ne sens-tu pas qu'on ne peut plus respirer ici? L'air est infecté de tes poisons, et la dernière bougie qui nous éclaire encore tremble et pâlit déjà au souffle impur de nos haleines... De l'air! de l'air! Nous périssons!

— Mon seigneur, cria-t-elle, nous n'avons à vivre que sept mille ans. Cela fait encore mille cent qua-rante...

— Septante-sept mille! lui dis-je, et des millions d'années en plus : tes nécromanciens se sont trompés.

Alors elle s'élança, rajeunie, des oripeaux qui la couvraient, et son vol se perdit dans le ciel pourpré du lit à colonnes. Mon esprit flottant voulut en vain la suivre : elle avait disparu pour l'éternité.

J'étais en train d'avaler quelques pépins de gre-nade. Une sensation douloureuse succéda dans ma gorge à cette distraction. Je me trouvais étranglé. On me trancha la tête, qui fut exposée à la porte du sérail, et j'étais mort tout de bon, si un perroquet, passant à tire-d'aile, n'eût avalé quelques-uns des pépins qui se trouvaient mêlés avec le sang.

Il me transporta à Rome sous les berceaux fleuris de la treille du Vatican, où la belle Impéria trônait à la table sacrée, entourée d'un conclave de cardinaux. A l'aspect des plats d'or, je me sentis revivre, et je lui dis : « Je te reconnais bien, Jésabel! » Puis un cra-quement se fit dans la salle. C'était l'annonce du *Déluge*, opéra en trois actes. Il me sembla alors que mon esprit perçait la terre, et, traversant à la nage les bancs de corail de l'Océanie et la mer pourprée des tropiques, je me trouvai jeté sur la rive ombragée de l'île des Amours. C'était la plage de Taïti. Trois jeunes filles m'entouraient et me faisaient peu à peu revenir. Je leur adressai la parole. Elles avaient oublié la langue des hommes : — Salut, mes sœurs du Ciel, leur dis-je en souriant.

Je me jetai hors du lit comme un fou, — il faisait grand jour; il fallait attendre jusqu'à midi pour aller savoir l'effet de ma lettre. La Pandora dormait encore quand j'arrivai chez elle. Elle bondit de joie et me dit : « Allons au Prater, je vais m'habiller. » Pendant que je l'attendais dans son salon, le prince*** frappa à la porte, et me dit qu'il revenait du château. Je l'avais cru dans ses terres. — Il me parla longtemps de sa force à l'épée, et de certaines rapières dont les étu-diants du Nord se servent dans leurs duels. Nous nous escrimions dans l'air, quand notre double Etoile apparut. Ce fut alors à qui ne sortirait pas du salon. Ils se mirent à causer dans une langue que j'ignorais; mais je ne lâchai pas un pouce de terrain. Nous descendîmes l'escalier tous trois ensemble, et le prince nous accompagna jusqu'à l'entrée du Kohlmarkt.

« Vous avez fait de belles choses, me dit-elle, voilà l'Allemagne en feu pour un siècle. »

Je l'accompagnai chez son marchand de musique; et, pendant qu'elle feuilletait des albums, je vis accourir le vieux marquis en uniforme de magyar, mais sans bonnet, qui s'écriait : « Quelle imprudence! Les deux étourdis vont se tuer pour l'amour de vous! » Je brisai cette conversation ridicule, en faisant avancer un fiacre. La Pandora donna l'ordre de toucher Dorothée-Gasse, chez sa modiste. Elle y resta enfermée une heure, puis elle dit en sortant : « Je ne suis entourée que de maladroits. — Et moi ? observai-je humblement. — Oh! vous, vous avez le numéro un. — Merci! répliquai-je. »

Je parlai confusément du Prater; mais le vent avait changé. Il fallut la ramener honteusement à son hôtel, et mes deux écus d'Autriche furent à peine suffisants pour payer le fiacre.

De rage, j'allai me renfermer chez moi, où j'eus la fièvre. Le lendemain matin, je reçus un billet de répétition qui m'enjoignait d'apprendre le rôle de Valbelle, pour jouer la pièce intitulée *Deux mots dans la forêt*. — Je me gardai bien de me soumettre à une nouvelle humiliation, et je repartis pour Salzbourg, où j'allai réfléchir amèrement dans l'ancienne maison de Mozart, habitée aujourd'hui par un chocolatier.

Je n'ai revu la Pandora que l'année suivante, dans une froide capitale du Nord. Sa voiture s'arrêta tout à coup au milieu de la grande place, et un sourire divin me cloua sans force sur le sol. — Te voilà encore, enchanteresse, m'écriais-je, et la boîte fatale, qu'en as-tu fait ?

— Je l'ai remplie pour toi, dit-elle, des plus beaux joujoux de Nuremberg. Ne viendras-tu pas les admirer?

Mais je me pris à fuir à toutes jambes vers la place de la Monnaie. — O fils des dieux, père des hommes! criait-elle, arrête un peu. C'est aujourd'hui la Saint-Sylvestre comme l'an passé... Où as-tu caché le feu du ciel que tu dérobas à Jupiter ?

Je ne voulus pas répondre : le nom de Prométhée me déplaît toujours singulièrement, car je sens encore à mon flanc le bec éternel du vautour dont Alcide m'a délivré.

O Jupiter ! quand finira mon supplice ?

GÉRARD DE NERVAL.

AURÉLIA

ou

LE RÊVE ET LA VIE

FRAGMENTS D'UNE PREMIÈRE VERSION

[I]

Ce fut en 1840 que [je reçus la première atteinte de ma cruelle maladie [1].] commença pour moi cette *vita nuova*. Je me trouvais à Bruxelles, où je demeurais rue Brûlée, près le grand marché. J'allais ordinairement dîner, Montagne de la Cour, chez une belle dame de mes amies, puis je me rendais au Théâtre de la Monnaie, où j'avais mes entrées comme auteur. Là je m'enivrais du plaisir de revoir une charmante cantatrice que j'avais connue à Paris et qui tenait à Bruxelles les premiers rôles d'opéra : Parfois une autre belle dame me faisait signe de sa loge aux places d'orchestre où j'étais et je montais près d'elle. Nous causions de la cantatrice, dont elle aimait le talent. Elle était bonne et indulgente pour cette ancienne passion parisienne et presque toujours j'étais admis à la reconduire jusques chez elle à la porte de Schaarbeck.

Un soir on m'invita à une séance de magnétisme. [C'était] Pour la première fois [que] je voyais une somnambule. C'était le jour même où avait lieu à Paris le convoi de Napoléon. La somnambule décrivit tous les détails de la cérémonie, tels que nous les lûmes le lendemain dans les journaux de Paris. Seulement elle ajouta qu'au moment où le corps de Napoléon était entré triomphalement aux Invalides, son âme s'était échappée du cercueil et, prenant son vol vers le Nord, était venue se reposer sur la plaine de Waterloo.

---

1. Les mots et passages entre crochets avaient été barrés par Nerval. (Note de l'éditeur.)

Cette grande idée me frappa, ainsi que les personnes qui étaient présentes à la séance et parmi lesquelles on distinguait Mgr l'évêque de Malines. A deux jours de là il y avait un brillant concert à la Salle de la Grande Harmonie. Deux reines y assistaient. La reine du chant était celle que je nommerai désormais Aurélie. La seconde était la reine de Belgique, non moins belle et plus jeune. Elles étaient coiffées de même et portaient à la nuque, derrière leurs cheveux tressés, la résille d'or de Médicis.

Cette soirée me laissa une vive impression. Dès lors je ne songeai plus qu'à retourner à Paris espérant me faire charger d'une mission qui me mettrait plus en lumière à mon retour dans les Flandres.

Pendant six semaines, à mon retour, je me livrai à des travaux constants sur certaines questions commerciales que j'étudiais guidé par les conseils du ministre de l'Instruction publique, qui était alors M. Villemain. J'allais arriver au but de mes démarches, lorsque la préoccupation assidue que j'apportais à mes travaux me communiqua une certaine exaltation dont je fus le dernier à m'apercevoir. Dans les cafés, chez mes amis, dans les rues, je tenais de longs discours sur toute matière — *de omni re scibili et quibusdam aliis*, à l'instar de Pic de la Mirandole. Pendant trois jours, j'accumulai tous les matériaux d'un système sur les affinités de race, sur le pouvoir des nombres, sur les harmonies des couleurs, que je développais avec quelque éloquence et dont beaucoup de mes amis furent frappés.

J'avais l'usage d'aller le soir boire de la bière au café Lepelletier, puis je remontais le faubourg jusqu'à la rue de Navarrin, où je demeurais alors. Un soir, vers minuit, j'eus une hallucination. L'heure sonnait, lorsque passant devant le n° 37 de la rue Notre-Dame-de-Lorette, je vis sur le seuil de la maison une femme encore jeune dont l'aspect me frappa de surprise. Elle avait la figure blême et les yeux caves; je me dis : « C'est la Mort. » Je rentrai me coucher avec l'idée que le monde allait finir.

[II]

Cependant à mon réveil il faisait jour ; je me rassurai un peu et je passai la journée à voir mes amis. [J'allai dîner à une table d'hôte où l'un d'eux, à qui je racontais des choses qui s'étaient passées à diverses époques, me dit : « Je te reconnais bien... tu es le comte de Saint-Germain. »]

Le soir je me rendis à mon café habituel où je causai longtemps de peinture et de musique avec mes amis Paul [Chenavard] et Auguste [Morel]. Minuit sonna. C'était pour moi l'heure fatale ; cependant je songeai que l'horloge du ciel pouvait bien ne pas correspondre avec celles de la terre. Je dis à Paul [Chenavard] que j'allais partir et me diriger vers l'Orient, ma patrie. Il m'accompagna jusqu'au carrefour Cadet. Là, me trouvant au confluent de plusieurs rues, je m'arrêtai incertain et m'assis sur une borne au coin de la rue Coquenard. Paul [Chenavard] déployait en vain une force surhumaine pour me faire changer de place. Je me sentais cloué. Il finit par m'abandonner vers une heure du matin et me voyant seul j'appelai à mon secours mes deux amis Théophile [Gautier] et Alphonse [Karr], que je vis [passer] de profil, et comme des ombres. Un grand nombre de voitures chargées de masques passaient et repassaient, car c'était une nuit de carnaval. J'en examinais curieusement les numéros, me livrant à un calcul mystérieux de nombres. Enfin, au-dessus de la rue Hauteville, je vis se lever une étoile rouge entourée d'un cercle bleuâtre. Je crus reconnaître l'étoile lointaine de Saturne et, me levant avec effort, je me dirigeai de ce côté.

J'entonnai dès lors je ne sais quel hymne mystérieux qui me remplissait d'une joie ineffable. En même temps je quittais mes habits terrestres et je les dispersais autour de moi. Arrivé au milieu de la rue, je me vis entouré d'une patrouille de soldats. Je me sentais doué d'une force surhumaine et il semblait que je n'eusse qu'à étendre les mains pour renverser à terre les pauvres soldats comme on couche les crins d'une

toison. Je ne voulus pas déployer cette force magné-
tique et je me laissai conduire sans résistance [au poste
de la place Cadet].

[Là] On me coucha sur un lit de camp pendant que
mes vêtements séchaient sur le poêle. J'eus alors une
vision. Le ciel s'ouvrit devant mes yeux comme une
gloire, et les divinités antiques m'apparurent. Au-delà
de leur ciel éblouissant je vis resplendir les sept cieux
de Brahma. Le matin mit fin à ce rêve.

De nouveaux soldats remplacèrent ceux qui
m'avaient recueilli. Ils me mirent *au violon* avec un
singulier individu arrêté dans la même nuit et qui
paraissait ignorer même son [nom].

[III]

La voiture se remit en marche [et] nous nous trouvâmes à Picpus, chez Mme de Sainte-Colombe. Là,
je fus remis aux soins d'un jeune médecin nommé
Creuze. [C'était à une maison de santé que l'on m'avait
conduit.]

Pendant trois jours je dormis d'un sommeil profond,
rarement interrompu par les rêves. Une femme vêtue
de noir apparaissait devant mon lit et il me semblait
qu'elle avait les yeux caves. Seulement, au fond de
ces orbites vides, il me sembla voir sourdre des larmes,
brillantes comme des diamants. Cette femme était pour
moi le spectre de ma mère, morte en Silésie. Un jour,
on me transporta au bain. L'écume blanche qui sur-
nageait me paraissait former des figures de blason et
j'y distinguais toujours trois enfants percés d'un pal,
lesquels bientôt se transformèrent en trois merlettes.
C'étaient probablement les armes de Lorraine.

Je crus comprendre que j'étais l'un des trois enfants
de mon nom, traités ainsi par les Tartares, lors de la
prise de nos châteaux. C'était au bord de la Dwina
glacée. Mon esprit se transporta bientôt sur un autre
point de l'Europe, au bord de la Dordogne, où trois
châteaux pareils avaient été rebâtis. Leur ange tuté-
laire était toujours la dame noire, qui dès lors avait

repris sa carnation blanche*, ses yeux étincelants, et
était vêtue d'une robe d'hermine tandis qu'une palatine de cygne couvrait ses blanches épaules. [Selon ces
pensées, je...]

[Dans la journée, Théophile Gautier et Alphonse
Karr vinrent me rendre visite. Il me semblait que leur
peau...]

Des amis vinrent me chercher et l'état de vision
continua toujours. La seule différence de la veille au
sommeil était que, dans la première, tout se transfigurait à mes yeux; chaque personne qui m'approchait
semblait changée, les objets matériels avaient [eux-
mêmes] comme une pénombre qui en modifiait
[changeait] la forme, et les jeux de la lumière, les
combinaisons des couleurs se décomposaient de
manière à m'entretenir dans une série [succession]
constante d'impressions qui se liaient entre elles et dont
le rêve, plus dégagé des éléments extérieurs, continuait
la probabilité.

C'est ainsi que dans un court intervalle de ce double
rêve je me trouvai couché dans une chambre assez
gaie dans la... La nature prenait des aspects nouveaux
et des... Comment peindre cet état ?

Je me crus d'abord transporté dans une maison
située sur les bords du Rhin, les rayons du soleil
couchant découpaient autour de la fenêtre les feuilles
transparentes d'une vigne grim[pante].

[Lorsque j'étais encore couché sur le lit de camp, ma
pensée se partageait encore entre la vision et le sentiment des choses réelles. On avait arrêté dans cette
même nuit un jeune homme dont les paroles confuses
m'arrivaient à travers une porte et que je vis parfois
vaguement.]

Je me crus d'abord [transporté] dans une maison
située sur les bords du Rhin. Un rayon de soleil
traversait gaiement des contrevents verts [où se

---

* La Brownia (note de Nerval).

découpait] que festonnait la vigne. On me dit : « Vous
avez été transporté chez vos parents. Ne tardez pas à
vous lever, car ils vous attendent. » Il y avait [— je
par] une horloge rustique accrochée au mur et sur
cette horloge un oiseau qui se mit à parler.

En ouvrant les yeux, je me trouvai dans une chambre
assez gaie. Une horloge était suspendue au mur et
au-dessus de cette horloge était une corneille, qui me
sembla douée des secrets de l'avenir.

[VI]

En fermant les yeux je me vis transporté sur les
bords du Rhin au château de Johannisberg. Je me dis :
Voici mon oncle [Metternich] Frédéric qui m'invite à
sa table. Le soleil couchant inondait de ses rayons la
splendide salle où il me reçut. [Je me vis ensuite transporté à Vienne dans le palais de Schoenbrunn.] Il me
sembla, pendant la nuit, que je me trouvais précipité
dans un abyme qui traversait la terre. En sortant de
l'autre côté du monde j'abordai dans une île riante où
un vieillard travaillait au pied d'une vigne.

Il me dit : Tes frères t'attendent pour souper. Je
sentis alors que je descendais vers le centre de la terre.
Mon corps était emporté sans souffrance par un courant vif argent [fondu] qui me transporta jusqu'au
cœur de la planète. Je vis alors distinctement les veines
et les artères de métal fondu qui en animaient toutes les
parties. Notre réunion occupait une vaste salle, où
était servi un festin splendide. Les patriarches de la
Bible et les reines de l'Orient occupaient les princi-
pales places. Salomon et la Reine de Saba présidaient
l'assemblée, couverts des plus belles parures de l'Asie.
Je me sentis plein d'une douce sympathie et d'un juste
orgueil en reconnaissant les traits divins de ma famille.
On m'apprit que j'étais destiné à retournai [sic] sur
la terre, et je les embrassai tous en pleurant.

A mon réveil je fus enchanté d'entendre répéter de
vieux airs du village où j'avais été élevé [c'était]. Le
jeune garçon qui me veillait les chantait d'une voix

touchante et l'aspect seul des grilles put me convaincre
que je n'étais pas au village dans la maison de mon
vieil oncle, qui avait été si bon pour moi ! — O souvenirs cruels et doux, vous étiez pour moi le retour à une
vie paisible et régénérée. L'amour renaissait dans mon
âme et venait tout embellir autour de moi.

Plusieurs amis vinrent me voir dans la matinée ; je
me promenai avec eux dans le jardin, en leur racontant
mes épreuves. L'un d'eux me dit en pleurant : « N'est-
ce pas que c'est vrai qu'il y a un Dieu ? » Je lui en
donnai l'assurance et nous nous embrassâmes dans
une douce effusion.

[Tout me favorisait désormais ; je sortis dans la
journée et j'allai revoir mon père. Puis je me dirigeai
vers le ministère de l'intérieur où j'avais à voir plusieurs amis. J'entrai chez le directeur des Beaux-Arts
et je m'y arrêtai longtemps à contempler une carte de
France : « Où pensez-vous, me dit-il, que doive être la
capitale ? car Paris est situé trop au Nord. »

Mon doigt s'arrêta sur Bourges. Il me dit : « Vous
avez raison. »]

De cette époque date une série de jours plus calme.
Après une légère rechute, j'avais été transporté dans
la maison de santé de Montmartre.

[VII]

... en me remerciant d'avoir concouru à son
triomphe. Je me mis aussitôt à la recherche d'un
cadeau que je pusse lui offrir, et, pour notre malheur
à tous deux, je songeai à une vieille bague de famille
dont le chaton était formé d'une opale taillée en cœur
et entourée de brillants. Cette bague avait été portée
par-dessus un gant, de sorte qu'elle était beaucoup
trop large pour les doigts mignons de l'actrice. J'eus
l'idée fatale de la faire rétrécir. Pendant que l'orfèvre
sciait la bague, il me semblait en voir couler du sang.
Je l'envoyai le lendemain, après l'avoir glissée autour
des tiges d'un bouquet de roses, et je fus remercié par
un billet gracieux.

Mais pourquoi dérouler ces souvenirs de billets jaunis et de fleurs fanées ? Mon cœur repose sous ces débris ; mais cette passion est l'histoire de toutes : je ne veux qu'indiquer l'influence qu'elle a pu avoir sur les rêves de mon esprit.

Plus calme au milieu de mes sœurs d'infortune qui traça[ient] sur le sable ou sur le papier des hiéro-glyphes que je croyais voir se rapporter à mes idées, j'ai essayé de retracer l'image de la divinité de mes rêves. Sur une feuille imprégnée du suc des plantes, j'avais représenté la Reine du Midi, telle que je l'ai vue dans mes rêves, telle qu'elle a été dépeinte dans l'Apocalypse de l'apôtre saint Jean. Elle est couronnée d'étoiles et coiffée d'un turban, où éclatent les couleurs de l'arc-en-ciel. Sa figure aux traits placides est de teinte olivâtre, son nez a la courbure du bec de l'épervier. Un collier de perles roses entoure son col, et derrière ses épaules s'arrondit un col de dentelles gaufrées. Sa robe est couleur d'hyacinthe et l'un de ses pieds est posé sur un pont ; l'autre s'appuie sur une roue. L'une de ses mains est posée sur le roc le plus élevé des montagnes de l'Yemen, l'autre dirigée vers le ciel balance la fleur d'anxoka, que les profanes appellent fleur du feu. Le serpent céleste ouvre sa gueule pour la saisir, mais une seule graine ornée d'une aigrette lumi-neuse s'engloutit dans le gouffre ouvert. Le signe du Bélier apparaît deux fois sur l'orbe céleste, où, comme en un miroir, se réfléchit la figure de la reine, qui prend les traits de sainte Rosalie. Couronnée d'étoiles, elle apparaît, prête à sauver le monde. Les constellations célestes l'environnent de leurs clartés.

Sur le pic le plus élevé des montagnes d'Yemen on distingue une cage dont le treillis se découpe sur le ciel. Un oiseau merveilleux y chante ; — c'est le talis-man des âges nouveaux. Léviathan, aux ailes noires, vole lourdement à l'entour. Au-delà de la mer s'élève un autre pic, sur lequel est inscrit ce nom : *Mérovée*. De ces deux points qui sont les antiques villes de

Saba formant l'extrémité du détroit de Babel-Mandeb, on voit sourdre et se répartir sur toute la terre les deux races, blanche en Asie, noire en Afrique, d'où sont issus les Francs et les Gallas. Pour les premiers la reine s'appelle *Balkiss*, et pour les autres, *Makéda*, c'est-à-dire la grande.

Les fils d'Abraham et de Cethura qui remonte à Enoch par Héber et Joctan forment la race sainte des princes de Saba. Leur capitale est Axum en Abyssinie. Les fils de Mérovia se dirigent vers l'Asie, apparaissent à la guerre de Troie, puis vaincus par les dieux du Péloponèse s'enfoncent dans les brumes des monts Cimmériens. C'est ainsi qu'en traversant la Scythie et la Germanie, ils viennent au-delà du Rhin jeter les bases d'un puissant empire. Sous les noms de Scandinaves et de Normands, ils étendent leurs conquêtes jusqu'à la lointaine Thulé, où gît le trésor des Niebelungen gardé par les fils du Dragon. Deux chevaliers guidés par les sœurs Walkyries découvrent le trésor et le transportent en Bourgogne. Du sein de la paix naît le germe d'une lutte de plusieurs siècles, car Brunhild et Chriemhield, ces deux sœurs fatales, sacrifieront à leur orgueil les peuples puissants sur lesquels elles règnent. Siegfried est frappé traîtreusement à la chasse et reçoit le fer en la seule place de son corps que n'a point teinté le sang du Dragon. Brunhild devient par vengeance l'épouse d'Attila, le farouche roi des Huns. Cachez-moi cette scène sanglante où les Bourguignons et les Huns s'attaquent à coup[s] d'épée à la suite d'un festin de réconciliation. Tout périt autour de la reine. Mais un page l'a vengée en se glissant derrière le meurtrier de son époux.

Ici la scène change, et la framée de Charles Martel disperse à Poitiers les escadrons des Sarrasins. L'Empire de Charlemagne se lève à l'Occident, et ses aigles victorieuses couvrent bientôt l'Allemagne et l'Italie. Malheur à toi, Didier roi des Lombards, qui du haut de ta tour signales l'approche du conquérant, en criant : « Que de fer! grand Dieu, que de fer! » La table ronde s'est peuplée de nouveaux chevaliers et le cycle romanesque d'Artus vient se fondre harmonieu-

sement dans le cycle de Charlemagne. O toi, la belle
des belles, reine Ginèvra, que te servait [*sic*] les
charmes et les paroles dorées de ton chevalier Lance-
lot! Tu dois abaisser ton orgueil aux pieds de Griseldis,
la fille d'un humble charbonnier! L'Occident armé
fait un pacte avec l'Orient. Charlemagne et Haroun-
al-Reschid se sont tendu la main au-dessus des têtes
de leurs peuples interdits : De nouveaux dieux sur-
gissent des brumes colorées de l'Orient... Mélusine
s'adresse à Merlin l'enchanteur et le retient dans un
palais splendide que les Ondines ont bâti sur les bords
du Rhin. Cependant les douze pairs qui ont marché à
la conquête du Saint-Graal l'appellent à leur secours
du fond des déserts de Syrie. Ce n'est qu'au son plain-
tif du cor d'ivoire de Roland que Merlin s'arrache
aux enchantements de la Fée. Pendant ce temps,
Viviane tient Charlemagne captif aux bords du lac
d'Aix-la-Chapelle. Le vieil empereur ne se réveillera
plus. Captif comme Barberousse et Richard il laissera
se démembrer son vaste empire dont Lothaire dispute
à ses frères le plus précieux lambeau.

[VIII]

« Ce fut alors que j'eus un rêve singulier. Je vis
d'abord se dérouler comme un immense tableau mou-
vant la généalogie des rois et des empereurs français
— puis le trône féodal s'écroula baigné de sang. Je
suivis dans tous les pays de la terre les traces de la
prédication de l'évangile. Partout en Afrique, en Asie,
en Europe, il semblait qu'une vigne immense étendît
ses surgeons autour de la terre. Les dernières pousses
s'arrêtèrent au pays d'Elisabeth de Hongrie. Çà et
là d'immenses ossuaires étaient construits avec les
ossements des martyrs. Gengiskan, Tamerlan et les
empereurs de Rome en avaient couvert le Monde. Je
criai longtemps, invoquant ma mère sous tous les
noms donnés aux divinités antiques. »

AURÉLIA

PREMIÈRE PARTIE

I

Le Rêve est une seconde vie. Je n'ai pu percer sans frémir ces portes d'ivoire ou de corne qui nous séparent du monde invisible. Les premiers instants du sommeil sont l'image de la mort; un engourdissement nébuleux saisit notre pensée, et nous ne pouvons déterminer l'instant précis où le *moi*, sous une autre forme, continue l'œuvre de l'existence. C'est un souterrain vague qui s'éclaire peu à peu, et où se dégagent de l'ombre et de la nuit les pâles figures gravement immobiles qui habitent le séjour des limbes. Puis le tableau se forme, une clarté nouvelle illumine et fait jouer ces apparitions bizarres; — le monde des Esprits s'ouvre pour nous.

Swedenborg appelait ces visions *Memorabilia;* il les devait à la rêverie plus souvent qu'au sommeil; *l'Ane d'or* d'Apulée, *la Divine Comédie* du Dante, sont les modèles poétiques de ces études de l'âme humaine. Je vais essayer, à leur exemple, de transcrire les impressions d'une longue maladie qui s'est passée tout entière dans les mystères de mon esprit; — et je ne sais pourquoi je me sers de ce terme maladie, car jamais, quant à ce qui est de moi-même, je ne me suis senti mieux portant. Parfois, je croyais ma force et mon activité doublées; il me semblait tout savoir, tout comprendre; l'imagination m'apportait des délices infinies. En recouvrant ce que les hommes appellent la raison, faudra-t-il regretter de les avoir perdues ?...

Cette *Vita nuova* a eu pour moi deux phases. Voici les notes qui se rapportent à la première. — Une dame

que j'avais aimée longtemps et que j'appellerai du nom
d'Aurélia, était perdue pour moi. Peu importe les circonstances de cet événement qui devait avoir une si
grande influence sur ma vie. Chacun peut chercher dans
ses souvenirs l'émotion la plus navrante, le coup le plus
terrible frappé sur l'âme par le destin; il faut alors se
résoudre à mourir ou à vivre : — je dirai plus tard
pourquoi je n'ai pas choisi la mort. Condamné par
celle que j'aimais, coupable d'une faute dont je n'espérais plus le pardon, il ne me restait qu'à me jeter
dans les enivrements vulgaires; j'affectai la joie et
l'insouciance, je courus le monde, follement épris de
la variété et du caprice; j'aimais surtout les costumes et
les mœurs bizarres des populations lointaines, il me
semblait que je déplaçais ainsi les conditions du bien
et du mal; les termes, pour ainsi dire, de ce qui est
sentiment pour nous autres Français. — Quelle folie,
me disais-je, d'aimer ainsi d'un amour platonique une
femme qui ne vous aime plus. Ceci est la faute de mes
lectures; j'ai pris au sérieux les inventions des poètes,
et je me suis fait une Laure ou une Béatrix d'une
personne ordinaire de notre siècle... Passons à d'autres
intrigues, et celle-là sera vite oubliée. — L'étourdissement d'un joyeux carnaval dans une ville d'Italie
chassa toutes mes idées mélancoliques. J'étais si heureux du soulagement que j'éprouvais, que je faisais
part de ma joie à tous mes amis, et dans mes lettres,
je leur donnais pour l'état constant de mon esprit, ce
qui n'était que surexcitation fiévreuse.

Un jour, arriva dans la ville une femme d'une grande
renommée qui me prit en amitié et qui, habituée à
plaire et à éblouir, m'entraîna sans peine dans le
cercle de ses admirateurs. Après une soirée où elle
avait été à la fois naturelle et pleine d'un charme dont
tous éprouvaient l'atteinte, je me sentis épris d'elle à
ce point que je ne voulus pas tarder un instant à lui
écrire. J'étais si heureux de sentir mon cœur capable
d'un amour nouveau!... J'empruntais, dans cet enthousiasme factice, les formules mêmes qui, si peu de
temps auparavant, m'avaient servi pour peindre un
amour véritable et longtemps éprouvé. La lettre partie,

j'aurais voulu la retenir, et j'allai rêver dans la solitude
à ce qui me semblait une profanation de mes souvenirs.

Le soir rendit à mon nouvel amour tout le prestige
de la veille. La dame se montra sensible à ce que je lui
avais écrit, tout en manifestant quelque étonnement
de ma ferveur soudaine. J'avais franchi, en un jour,
plusieurs degrés des sentiments que l'on peut concevoir
pour une femme avec apparence de sincérité. Elle
m'avoua que je l'étonnais tout en la rendant fière.
J'essayai de la convaincre; mais quoi que je voulusse
lui dire, je ne pus ensuite retrouver dans nos entretiens
le diapason de mon style, de sorte que je fus réduit à lui
avouer, avec larmes, que je m'étais trompé moi-
même en l'abusant. Mes confidences attendries eurent
pourtant quelque charme, et une amitié plus forte
dans sa douceur succéda à de vaines protestations de
tendresse.

II

Plus tard, je la rencontrai dans une autre ville où se
trouvait la dame que j'aimais toujours sans espoir.
Un hasard les fit connaître l'une à l'autre, et la première eut occasion, sans doute, d'attendrir à mon égard
celle qui m'avait exilé de son cœur. De sorte qu'un
jour, me trouvant dans une société dont elle faisait
partie, je la vis venir à moi et me tendre la main.
Comment interpréter cette démarche et le regard profond et triste dont elle accompagna son salut ? J'y
crus voir le pardon du passé; l'accent divin de la pitié
donnait aux simples paroles qu'elle m'adressa une
valeur inexprimable, comme si quelque chose de la
religion se mêlait aux douceurs d'un amour jusque-là
profane, et lui imprimait le caractère de l'éternité.

Un devoir impérieux me forçait de retourner à
Paris, mais je pris aussitôt la résolution de n'y rester
que peu de jours et de revenir près de mes deux
amies. La joie et l'impatience me donnèrent alors une
sorte d'étourdissement qui se compliquait du soin des
affaires que j'avais à terminer. Un soir, vers minuit, je
remontais un faubourg où se trouvait ma demeure,

lorsque, levant les yeux par hasard, je remarquai le numéro d'une maison éclairé par un réverbère. Ce nombre était celui de mon âge. Aussitôt, en baissant les yeux, je vis devant moi une femme au teint blême, aux yeux caves, qui me semblait avoir les traits d'Aurélia. Je me dis : c'est *sa mort* ou la mienne qui m'est annoncée! Mais je ne sais pourquoi j'en restai à la dernière supposition, et je me frappai de cette idée, que ce devait être le lendemain à la même heure.

Cette nuit-là, je fis un rêve qui me confirma dans ma pensée. — J'errais dans un vaste édifice composé de plusieurs salles, dont les unes étaient consacrées à l'étude, d'autres à la conversation ou aux discussions philosophiques. Je m'arrêtai avec intérêt dans une des premières, où je crus reconnaître mes anciens maîtres et mes anciens condisciples. Les leçons continuaient sur les auteurs grecs et latins, avec ce bourdonnement monotone qui semble une prière à la déesse Mnémosine. — Je passai dans une autre salle, où avaient lieu des conférences philosophiques. J'y pris part quelque temps, puis j'en sortis pour chercher ma chambre dans une sorte d'hôtellerie aux escaliers immenses, pleine de voyageurs affairés.

Je me perdis plusieurs fois dans les longs corridors, et en traversant une des galeries centrales, je fus frappé d'un spectacle étrange. Un être d'une grandeur démesurée, — homme ou femme, je ne sais, — voltigeait péniblement au-dessus de l'espace et semblait se débattre parmi des nuages épais. Manquant d'haleine et de force, il tomba enfin au milieu de la cour obscure, accrochant et froissant ses ailes le long des toits et des balustres. Je pus le contempler un instant. Il était coloré de teintes vermeilles, et ses ailes brillaient de mille reflets changeants. Vêtu d'une robe longue à plis antiques, il ressemblait à l'Ange de la *Mélancolie*, d'Albrecht Dürer. — Je ne pus m'empêcher de pousser des cris d'effroi, qui me réveillèrent en sursaut.

Le jour suivant, je me hâtai d'aller voir tous mes amis. Je leur faisais mentalement mes adieux, et sans leur rien dire de ce qui m'occupait l'esprit, je dissertais chaleureusement sur des sujets mystiques; je les

étonnais par une éloquence particulière, il me semblait
que je savais tout, et que les mystères du monde se
révélaient à moi dans ces heures suprêmes.

Le soir, lorsque l'heure fatale semblait s'approcher,
je dissertais avec deux amis, à la table d'un cercle, sur
la peinture et sur la musique, définissant à mon point
de vue la génération des couleurs et le sens des nombres.
L'un d'eux, nommé Paul***, voulut me reconduire
chez moi, mais je lui dis que je ne rentrais pas. « Où
vas-tu ? me dit-il. — *Vers l'Orient!* » Et pendant qu'il
m'accompagnait, je me mis à chercher dans le ciel
une Etoile, que je croyais connaître, comme si elle
avait quelque influence sur ma destinée. L'ayant
trouvée, je continuai ma marche en suivant les rues
dans la direction desquelles elle était visible, marchant
pour ainsi dire au-devant de mon destin, et voulant
apercevoir l'étoile jusqu'au moment où la mort devait
me frapper. Arrivé cependant au confluent de trois
rues, je ne voulus pas aller plus loin. Il me semblait
que mon ami déployait une force surhumaine pour
me faire changer de place; il grandissait à mes yeux et
prenait les traits d'un apôtre. Je croyais voir le lieu où
nous étions s'élever, et perdre les formes que lui donnait sa configuration urbaine; — sur une colline, entourée de vastes solitudes, cette scène devenait le combat
de deux Esprits et comme une tentation biblique.
— Non! disais-je, je n'appartiens pas à ton ciel. Dans
cette étoile sont ceux qui m'attendent. Ils sont anté-
rieurs à la révélation que tu as annoncée. Laisse-moi
les rejoindre, car celle que j'aime leur appartient, et
c'est là que nous devons nous retrouver!

III

Ici a commencé pour moi ce que j'appellerai l'épanchement du songe dans la vie réelle. A dater de ce
moment, tout prenait parfois un aspect double, — et
cela, sans que le raisonnement manquât jamais de
logique, sans que la mémoire perdît les plus légers
détails de ce qui m'arrivait. Seulement mes actions,

insensées en apparence, étaient soumises à ce que l'on appelle illusion, selon la raison humaine...

Cette idée m'est revenue bien des fois que dans certains moments graves de la vie, tel Esprit du monde extérieur s'incarnait tout à coup en la forme d'une personne ordinaire, et agissait ou tentait d'agir sur nous, sans que cette personne en eût la connaissance ou en gardât le souvenir.

Mon ami m'avait quitté, voyant ses efforts inutiles, et me croyant sans doute en proie à quelque idée fixe que la marche calmerait. Me trouvant seul, je me levai avec effort et me remis en route dans la direction de l'étoile sur laquelle je ne cessais de fixer les yeux. Je chantais en marchant un hymne mystérieux dont je croyais me souvenir comme l'ayant entendu dans quelque autre existence, et qui me remplissait d'une joie ineffable. En même temps, je quittais mes habits terrestres et je les dispersais autour de moi. La route semblait s'élever toujours et l'étoile s'agrandir. Puis, je restai les bras étendus, attendant le moment où l'âme allait se séparer du corps, attirée magnétiquement dans le rayon de l'étoile. Alors je sentis un frisson; le regret de la terre et de ceux que j'y aimais me saisit au cœur, et je suppliai si ardemment en moi-même l'Esprit qui m'attirait à lui, qu'il me sembla que je redescendais parmi les hommes. Une ronde de nuit m'entourait; — j'avais alors l'idée que j'étais devenu très grand, — et que tout inondé de forces électriques, j'allais renverser tout ce qui m'approchait. Il y avait quelque chose de comique dans le soin que je prenais de ménager les forces et la vie des soldats qui m'avaient recueilli.

Si je ne pensais que la mission d'un écrivain est d'analyser sincèrement ce qu'il éprouve dans les graves circonstances de la vie, et si je ne me proposais un but que je crois utile, je m'arrêterais ici, et je n'essayerais pas de décrire ce que j'éprouvai ensuite dans une série de visions insensées peut-être, ou vulgairement maladives... Etendu sur un lit de camp, je crus voir le ciel se dévoiler et s'ouvrir en mille aspects de magnificences inouïes. Le destin de l'Ame délivrée semblait se

révéler à moi comme pour me donner le regret d'avoir
voulu reprendre pied de toutes les forces de mon esprit
sur la terre que j'allais quitter... D'immenses cercles
se traçaient dans l'infini, comme les orbes que forme
l'eau troublée par la chute d'un corps; chaque région
peuplée de figures radieuses, se colorait, se mouvait et
se fondait tour à tour, et une divinité, toujours la
même, rejetait en souriant les masques furtifs de ses
diverses incarnations, et se réfugiait enfin, insaisissable,
dans les mystiques splendeurs du ciel d'Asie.

Cette vision céleste, par un de ces phénomènes que
tout le monde a pu éprouver dans certains rêves, ne
me laissait pas étranger à ce qui se passait autour de
moi. Couché sur un lit de camp, j'entendais que les
soldats s'entretenaient d'un inconnu arrêté comme moi
et dont la voix avait retenti dans la même salle. Par
un singulier effet de vibration, il me semblait que cette
voix résonnait dans ma poitrine et que mon âme se
dédoublait pour ainsi dire, — distinctement partagée
entre la vision et la réalité. Un instant j'eus l'idée de
me retourner avec effort vers celui dont il était question,
puis je frémis en me rappelant une tradition bien
connue en Allemagne, qui dit que chaque homme a un
double, et que lorsqu'il le voit, la mort est proche. — Je
fermai les yeux et j'entrai dans un état d'esprit confus
où les figures fantasques ou réelles qui m'entouraient
se brisaient en mille apparences fugitives. Un instant
je vis près de moi deux de mes amis qui me réclamaient,
les soldats me désignèrent; puis la porte s'ouvrit, et
quelqu'un de ma taille, dont je ne voyais pas la figure,
sortit avec mes amis que je rappelais en vain. — Mais
on se trompe! m'écriais-je; c'est moi qu'ils sont venus
chercher et c'est un autre qui sort! — Je fis tant de
bruit, que l'on me mit au cachot.

J'y restai plusieurs heures dans une sorte d'abru-
tissement; enfin, les deux amis que j'avais *cru voir*
déjà vinrent me chercher avec une voiture. Je leur
racontai tout ce qui s'était passé, mais ils nièrent être
venus dans la nuit. Je dînai avec eux assez tranquillement, mais à mesure que la nuit approchait il me
sembla que j'avais à redouter l'heure même qui la

veille avait risqué de m'être fatale. Je demandai à
l'un d'eux une bague orientale qu'il avait au doigt et
que je regardais comme un ancien talisman, et prenant
un foulard, je la nouai autour de mon col, en ayant
soin de tourner le chaton, composé d'une turquoise,
sur un point de la nuque où je sentais une douleur.
Selon moi, ce point était celui par où l'âme risquerait
de sortir au moment où un certain rayon, parti de
l'étoile que j'avais vue la veille, coïnciderait relativement à moi avec le zénith. Soit par hasard, soit par
l'effet de ma forte préoccupation, je tombai comme
foudroyé, à la même heure que la veille. On me mit
sur un lit, et pendant longtemps je perdis le sens et la
liaison des images qui s'offrirent à moi. Cet état dura
plusieurs jours. Je fus transporté dans une maison de
santé. Beaucoup de parents et d'amis me visitèrent
sans que j'en eusse la connaissance. La seule différence
pour moi de la veille au sommeil était que, dans la
première, tout se transfigurait à mes yeux; chaque
personne qui m'approchait semblait changée, les objets
matériels avaient comme une pénombre qui en modifiait la forme, et les jeux de la lumière, les combinaisons
des couleurs se décomposaient, de manière à m'entretenir dans une série constante d'impressions qui se
liaient entre elles, et dont le rêve, plus dégagé des éléments extérieurs, continuait la probabilité.

IV

Un soir, je crus avec certitude être transporté sur les
bords du Rhin. En face de moi se trouvaient des rocs
sinistres dont la perspective s'ébauchait dans l'ombre.
J'entrai dans une maison riante, dont un rayon du
soleil couchant traversait gaiement les contrevents
verts que festonnait la vigne. Il me semblait que je
rentrais dans une demeure connue, celle d'un oncle
maternel, peintre flamand, mort depuis plus d'un
siècle. Les tableaux ébauchés étaient suspendus çà et
là; l'un d'eux représentait la fée célèbre de ce rivage.
Une vieille servante, que j'appelai Marguerite et qu'il

me semblait connaître depuis l'enfance, me dit :
« N'allez-vous pas vous mettre sur le lit ? car vous
venez de loin, et votre oncle rentrera tard; on vous
réveillera pour souper. » Je m'étendis sur un lit à
colonnes drapé de perse à grandes fleurs rouges. Il y
avait en face de moi une horloge rustique accrochée
au mur, et sur cette horloge un oiseau qui se mit à
parler comme une personne. Et j'avais l'idée que
l'âme de mon aïeul était dans cet oiseau; mais je ne
m'étonnais pas plus de son langage et de sa forme
que de me voir transporté comme d'un siècle en arrière.
L'oiseau me parlait de personnes de ma famille
vivantes ou mortes en divers temps, comme si elles
existaient simultanément, et me dit : « Vous voyez que
votre oncle avait eu soin de faire *son* portrait d'avance...
maintenant, *elle* est avec nous. » Je portai les yeux sur
une toile qui représentait une femme en costume ancien
à l'allemande, penchée sur le bord du fleuve, et les
yeux attirés vers une touffe de myosotis. — Cependant
la nuit s'épaississait peu à peu, et les aspects, les sons
et le sentiment des lieux se confondaient dans mon
esprit somnolent; je crus tomber dans un abîme qui
traversait le globe. Je me sentais emporté sans souffrance par un courant de métal fondu, et mille fleuves
pareils, dont les teintes indiquaient les différences chimiques, sillonnaient le sein de la terre comme les vaisseaux et les veines qui serpentent parmi les lobes du
cerveau. Tous coulaient, circulaient et vibraient ainsi,
et j'eus le sentiment que ces courants étaient composés
d'âmes vivantes, à l'état moléculaire, que la rapidité
de ce voyage m'empêchait seule de distinguer. Une
clarté blanchâtre s'infiltrait peu à peu dans ces
conduits, et je vis enfin s'élargir, ainsi qu'une vaste
coupole, un horizon nouveau où se traçaient des îles
entourées de flots lumineux. Je me trouvai sur une
côte éclairée de ce jour sans soleil, et je vis un vieillard
qui cultivait la terre. Je le reconnus pour le même qui
m'avait parlé par la voix de l'oiseau, et soit qu'il me
parlât, soit que je le comprisse en moi-même, il devenait clair pour moi que les aïeux prenaient la forme de
certains animaux pour nous visiter sur la terre, et

qu'ils assistaient ainsi, muets observateurs, aux phases de notre existence.

Le vieillard quitta son travail et m'accompagna jusqu'à une maison qui s'élevait près de là. Le paysage qui nous entourait me rappelait celui d'un pays de la Flandre française où mes parents avaient vécu et où se trouvent leurs tombes : le champ entouré de bosquets à la lisière du bois, le lac voisin, la rivière et le lavoir, le village et sa rue qui monte, les collines de grès sombre et leurs touffes de genêts et de bruyères, — image rajeunie des lieux que j'avais aimés. Seulement la maison où j'entrai ne m'était point connue. Je compris qu'elle avait existé dans je ne sais quel temps, et qu'en ce monde que je visitais alors, le fantôme des choses accompagnait celui du corps.

J'entrai dans une vaste salle où beaucoup de personnes étaient réunies. Partout je retrouvais des figures connues. Les traits des parents morts que j'avais pleurés se trouvaient reproduits dans d'autres qui, vêtus de costumes plus anciens, me faisaient le même accueil paternel. Ils paraissaient s'être assemblés pour un banquet de famille. Un de ces parents vint à moi et m'embrassa tendrement. Il portait un costume ancien dont les couleurs semblaient pâlies, et sa figure souriante, sous ses cheveux poudrés, avait quelque ressemblance avec la mienne. Il me semblait plus précisément vivant que les autres, et pour ainsi dire en rapport plus volontaire avec mon esprit. — C'était mon oncle. Il me fit placer près de lui, et une sorte de communication s'établit entre nous ; car je ne puis dire que j'entendisse sa voix ; seulement, à mesure que ma pensée se portait sur un point, l'explication m'en devenait claire aussitôt, et les images se précisaient devant mes yeux comme des peintures animées.

— Cela est donc vrai, disais-je avec ravissement, nous sommes immortels et nous conservons ici les images du monde que nous avons habité. Quel bonheur de songer que tout ce que nous avons aimé existera toujours autour de nous !... J'étais bien fatigué de la vie !

— Ne te hâte pas, dit-il, de te réjouir, car tu appartiens encore au monde d'en haut et tu as à supporter de rudes années d'épreuves. Le séjour qui t'enchante a lui-même ses douleurs, ses luttes et ses dangers. La terre où nous avons vécu est toujours le théâtre où se nouent et se dénouent nos destinées; nous sommes les rayons du feu central qui l'anime et qui déjà s'est affaibli...

— Eh quoi! dis-je, la terre pourrait mourir, et nous serions envahis par le néant ?

— Le néant, dit-il, n'existe pas dans le sens qu'on l'entend; mais la terre est elle-même un corps matériel dont la somme des esprits est l'âme. La matière ne peut pas plus périr que l'esprit, mais elle peut se modifier selon le bien et selon le mal. Notre passé et notre avenir sont solidaires. Nous vivons dans notre race, et notre race vit en nous.

Cette idée me devint aussitôt sensible, et, comme si les murs de la salle se fussent ouverts sur des perspectives infinies, il me semblait voir une chaîne non interrompue d'hommes et de femmes en qui j'étais et qui étaient moi-même; les costumes de tous les peuples, les images de tous les pays apparaissaient distinctement à la fois, comme si mes facultés d'attention s'étaient multipliées sans se confondre, par un phénomène d'espace analogue à celui du temps qui concentre un siècle d'action dans une minute de rêve. Mon étonnement s'accrut en voyant que cette immense énumération se composait seulement des personnes qui se trouvaient dans la salle et dont j'avais vu les images se diviser et se combiner en mille aspects fugitifs.

— Nous sommes sept, dis-je à mon oncle.

— C'est en effet, dit-il, le nombre typique de chaque famille humaine, et, par extension, sept fois sept, et davantage[1].

---

1. Sept était le nombre de la famille de Noé; mais l'un des sept se rattachait mystérieusement aux générations antérieures des Eloïm!...

... L'imagination, comme un éclair, me représenta les dieux multiples de l'Inde comme des images de la famille pour ainsi dire primitivement concentrée. Je frémis d'aller plus loin, car dans la Trinité réside encore un mystère redoutable... Nous sommes nés sous la loi biblique...

Je ne puis espérer de faire comprendre cette réponse, qui pour moi-même est restée très obscure. La métaphysique ne me fournit pas de termes pour la perception qui me vint alors du rapport de ce nombre de personnes avec l'harmonie générale. On conçoit bien dans le père et la mère l'analogie des forces électriques de la nature; mais comment établir les centres individuels émanés d'eux, — dont ils émanent, comme une *figure* animique collective, dont la combinaison serait à la fois multiple et bornée ? Autant vaudrait demander compte à la fleur du nombre de ses pétales ou des divisions de sa corolle... au sol des figures qu'il trace, au soleil des couleurs qu'il produit.

V

Tout changeait de forme autour de moi. L'esprit avec qui je m'entretenais n'avait plus le même aspect. C'était un jeune homme qui désormais recevait plutôt de moi les idées qu'il ne me les communiquait... Etais-je allé trop loin dans ces hauteurs qui donnent le vertige ? Il me sembla comprendre que ces questions étaient obscures ou dangereuses, même pour les esprits du monde que je percevais alors... Peut-être aussi un pouvoir supérieur m'interdisait-il ces recherches. Je me vis errant dans les rues d'une cité très populeuse et inconnue. Je remarquai qu'elle était bossuée de collines et dominée par un mont tout couvert d'habitations. A travers le peuple de cette capitale, je distinguais certains hommes qui paraissaient appartenir à une nation particulière; leur air vif, résolu, l'accent énergique de leurs traits me faisaient songer aux races indépendantes et guerrières des pays de montagnes ou de certaines îles peu fréquentées par les étrangers; toutefois c'est au milieu d'une grande ville et d'une population mélangée et banale qu'ils savaient maintenir ainsi leur individualité farouche. Qu'étaient donc ces hommes ? Mon guide me fit gravir des rues escarpées et bruyantes où retentissaient les bruits divers de l'industrie. Nous montâmes encore par de longues

séries d'escaliers, au-delà desquels la vue se découvrit.
Çà et là, des terrasses revêtues de treillages, des jardi-
nets ménagés sur quelques espaces aplatis, des toits,
des pavillons légèrement construits, peints et sculptés
avec une capricieuse patience ; des perspectives reliées
par de longues traînées de verdures grimpantes sédui-
saient l'œil et plaisaient à l'esprit comme l'aspect d'une
oasis délicieuse, d'une solitude ignorée au-dessus du
tumulte et de ces bruits d'en bas, qui là n'étaient
plus qu'un murmure. On a souvent parlé de nations
proscrites, vivant dans l'ombre des nécropoles et des
catacombes ; c'était ici le contraire sans doute. Une
race heureuse s'était créé cette retraite aimée des
oiseaux, des fleurs, de l'air pur et de la clarté. — Ce sont,
me dit mon guide, les anciens habitants de cette montagne qui domine la ville où nous sommes en ce
moment. Longtemps ils y ont vécu simples de mœurs,
aimants et justes, conservant les vertus naturelles des
premiers jours du monde. Le peuple environnant les
honorait et se modelait sur eux.

Du point où j'étais alors, je descendis, suivant mon
guide, dans une de ces hautes habitations dont les
toits réunis présentaient cet aspect étrange. Il me semblait que mes pieds s'enfonçaient dans les couches suc-
cessives des édifices de différents âges. Ces fantômes
de constructions en découvraient toujours d'autres où
se distinguait le goût particulier de chaque siècle, et
cela me représentait l'aspect des fouilles que l'on fait
dans les cités antiques, si ce n'est que c'était aéré,
vivant, traversé des mille jeux de la lumière. Je me
trouvai enfin dans une vaste chambre où je vis un
vieillard travaillant devant une table à je ne sais quel
ouvrage d'industrie. — Au moment où je franchissais
la porte, un homme vêtu de blanc, dont je distinguais
mal la figure, me menaça d'une arme qu'il tenait à
la main ; mais celui qui m'accompagnait lui fit signe
de s'éloigner. Il semblait qu'on eût voulu m'empêcher
de pénétrer le mystère de ces retraites. Sans rien
demander à mon guide, je compris par intuition que
ces hauteurs et en même temps ces profondeurs étaient
la retraite des habitants primitifs de la montagne.

Bravant toujours le flot envahissant des accumulations de races nouvelles, ils vivaient là, simples de mœurs, aimants et justes, adroits, fermes et ingénieux, — et pacifiquement vainqueurs des masses aveugles qui avaient tant de fois envahi leur héritage. Eh quoi! ni corrompus, ni détruits, ni esclaves; purs, quoique ayant vaincu l'ignorance; conservant dans l'aisance les vertus de la pauvreté. — Un enfant s'amusait à terre avec des cristaux, des coquillages et des pierres gravées, faisant sans doute un jeu d'une étude. Une femme âgée, mais belle encore, s'occupait des soins du ménage. En ce moment plusieurs jeunes gens entrèrent avec bruit, comme revenant de leurs travaux. Je m'étonnais de les voir tous vêtus de blanc; mais il paraît que c'était une illusion de ma vue; pour la rendre sensible, mon guide se mit à dessiner leur costume qu'il teignit de couleurs vives, me faisant comprendre qu'ils étaient ainsi en réalité. La blancheur qui m'étonnait provenait peut-être d'un éclat particulier, d'un jeu de lumière où se confondaient les teintes ordinaires du prisme. Je sortis de la chambre et je me vis sur une terrasse disposée en parterre. Là se promenaient et jouaient des jeunes filles et des enfants. Leurs vêtements me paraissaient blancs comme les autres, mais ils étaient agrémentés par des broderies de couleur rose. Ces personnes étaient si belles, leurs traits si gracieux, et l'éclat de leur âme transparaissait si vivement à travers leurs formes délicates, qu'elles inspiraient toutes une sorte d'amour sans préférence et sans désir, résumant tous les enivrements des passions vagues de la jeunesse.

Je ne puis rendre le sentiment que j'éprouvai au milieu de ces êtres charmants qui m'étaient chers sans que je les connusse. C'était comme une famille primitive et céleste, dont les yeux souriants cherchaient les miens avec une douce compassion. Je me mis à pleurer à chaudes larmes, comme au souvenir d'un paradis perdu. Là, je sentis amèrement que j'étais un passant dans ce monde à la fois étranger et chéri, et je frémis à la pensée que je devais retourner dans la vie. En vain, femmes et enfants se pressaient autour de moi

comme pour me retenir. Déjà leurs formes ravissantes
se fondaient en vapeurs confuses; ces beaux visages
pâlissaient, et ces traits accentués, ces yeux étincelants
se perdaient dans une ombre où luisait encore le dernier
éclair du sourire...

Telle fut cette vision ou tels furent du moins les
détails principaux dont j'ai gardé le souvenir. L'état
cataleptique où je m'étais trouvé pendant plusieurs
jours me fut expliqué scientifiquement, et les récits de
ceux qui m'avaient vu ainsi me causaient une sorte
d'irritation quand je voyais qu'on attribuait à l'aber-
ration d'esprit les mouvements ou les paroles coïnci-
dant avec les diverses phases de ce qui constituait
pour moi une série d'événements logiques. J'aimais
davantage ceux de mes amis qui, par une patiente
complaisance ou par suite d'idées analogues aux
miennes, me faisaient faire de longs récits des choses
que j'avais vues en esprit. L'un d'eux me dit en pleurant : « N'est-ce pas que c'est vrai qu'il y a un Dieu ? —
Oui! » lui dis-je avec enthousiasme. Et nous nous
embrassâmes comme deux frères de cette patrie mystique que j'avais entrevue. — Quel bonheur je trouvai
d'abord dans cette conviction! Ainsi ce doute éternel
de l'immortalité de l'âme qui affecte les meilleurs
esprits se trouvait résolu pour moi. Plus de mort, plus
de tristesse, plus d'inquiétude. Ceux que j'aimais,
parents, amis me donnaient des signes certains de
leur existence éternelle, et je n'étais plus séparé d'eux
que par les heures du jour. J'attendais celles de la
nuit dans une douce mélancolie.

VI

Un rêve que je fis encore me confirma dans cette
pensée. Je me trouvai tout à coup dans une salle qui
faisait partie de la demeure de mon aïeul. Elle semblait
s'être agrandie seulement. Les vieux meubles luisaient
d'un poli merveilleux, les tapis et les rideaux étaient
comme remis à neuf, un jour trois fois plus brillant
que le jour naturel arrivait par la croisée et par la

porte, et il y avait dans l'air une fraîcheur et un par-
fum des premières matinées tièdes du printemps.
Trois femmes travaillaient dans cette pièce, et représentaient, sans leur ressembler absolument, des parentes et des amies de ma jeunesse. Il semblait que
chacune eût les traits de plusieurs de ces personnes. Les
contours de leurs figures variaient comme la flamme
d'une lampe, et à tout moment quelque chose de l'une
passait dans l'autre; le sourire, la voix, la teinte des
yeux, de la chevelure, la taille, les gestes familiers
s'échangeaient comme si elles eussent vécu de la
même vie, et chacune était ainsi un composé de toutes,
pareille à ces types que les peintres imitent de plusieurs
modèles pour réaliser une beauté complète.

La plus âgée me parlait avec une voix vibrante et
mélodieuse que je reconnaissais pour l'avoir entendue
dans l'enfance, et je ne sais ce qu'elle me disait qui
me frappait par sa profonde justesse. Mais elle attira
ma pensée sur moi-même, et je me vis vêtu d'un petit
habit brun de forme ancienne, entièrement tissu à
l'aiguille de fils ténus comme ceux des toiles d'arai-
gnées. Il était coquet, gracieux et imprégné de douces
odeurs. Je me sentais tout rajeuni et tout pimpant dans
ce vêtement qui sortait de leurs doigts de fée, et je
les remerciais en rougissant, comme si je n'eusse été
qu'un petit enfant devant de grandes belles dames.
Alors l'une d'elles se leva et se dirigea vers le jardin.

Chacun sait que dans les rêves on ne voit jamais le
soleil, bien qu'on ait souvent la perception d'une
clarté beaucoup plus vive. Les objets et les corps sont
lumineux par eux-mêmes. Je me vis dans un petit
parc où se prolongeaient des treilles en berceaux chargés de lourdes grappes de raisins blancs et noirs; à
mesure que la dame qui me guidait s'avançait sous
ces berceaux, l'ombre des treillis croisés variait
encore pour mes yeux ses formes et ses vêtements.
Elle en sortit enfin, et nous nous trouvâmes dans un
espace découvert. On y apercevait à peine la trace
d'anciennes allées qui l'avaient jadis coupé en croix.
La culture était négligée depuis longues années, et des
plants épars de clématites, de houblon, de chèvre-

feuille, de jasmin, de lierre, d'aristoloche étendaient
entre des arbres d'une croissance vigoureuse leurs
longues traînées de lianes. Des branches pliaient jusqu'à terre chargées de fruits, et parmi des touffes
d'herbes parasites s'épanouissaient quelques fleurs de
jardin revenues à l'état sauvage.

De loin en loin s'élevaient des massifs de peupliers,
d'acacias et de pins, au sein desquels on entrevoyait des
statues noircies par le temps. J'aperçus devant moi
un entassement de rochers couverts de lierre d'où
jaillissait une source d'eau vive, dont le clapotement
harmonieux résonnait sur un bassin d'eau dormante à
demi voilée des larges feuilles de nénuphar.

La dame que je suivais, développant sa taille élancée
dans un mouvement qui faisait miroiter les plis de sa
robe en taffetas changeant, entoura gracieusement de
son bras nu une longue tige de rose trémière, puis elle
se mit à grandir sous un clair rayon de lumière, de
telle sorte que peu à peu le jardin prenait sa forme, et
les parterres et les arbres devenaient les rosaces et les
festons de ses vêtements; tandis que sa figure et ses
bras imprimaient leurs contours aux nuages pourprés
du ciel. Je la perdais ainsi de vue à mesure qu'elle se
transfigurait, car elle semblait s'évanouir dans sa
propre grandeur. « Oh! ne fuis pas! m'écriai-je... car
la nature meurt avec toi! »

Disant ces mots, je marchais péniblement à travers
les ronces, comme pour saisir l'ombre agrandie qui
m'échappait, mais je me heurtai à un pan de mur
dégradé, au pied duquel gisait un buste de femme. En
le relevant, j'eus la persuasion que c'était *le sien*... Je
reconnus des traits chéris, et portant les yeux autour
de moi, je vis que le jardin avait pris l'aspect d'un
cimetière. Des voix disaient : « L'Univers est dans la
nuit! »

VII

Ce rêve si heureux à son début me jeta dans une
grande perplexité. Que signifiait-il ? Je ne le sus que
plus tard. Aurélia était morte.

Je n'eus d'abord que la nouvelle de sa maladie. Par suite de l'état de mon esprit, je ne ressentis qu'un vague chagrin mêlé d'espoir. Je croyais moi-même n'avoir que peu de temps à vivre, et j'étais désormais assuré de l'existence d'un monde où les cœurs aimants se retrouvent. D'ailleurs elle m'appartenait bien plus dans sa mort que dans sa vie... Egoïste pensée que ma raison devait payer plus tard par d'amers regrets.

Je ne voudrais pas abuser des pressentiments; le hasard fait d'étranges choses; mais je fus alors vivement préoccupé d'un souvenir de notre union trop rapide. Je lui avais donné une bague d'un travail ancien dont le chaton était formé d'une opale taillée en cœur. Comme cette bague était trop grande pour son doigt, j'avais eu l'idée fatale de la faire couper pour en diminuer l'anneau, je ne compris ma faute qu'en entendant le bruit de la scie. Il me sembla voir couler du sang...

Les soins de l'art m'avaient rendu à la santé sans avoir encore ramené dans mon esprit le cours régulier de la raison humaine. La maison où je me trouvais, située sur une hauteur, avait un vaste jardin planté d'arbres précieux. L'air pur de la colline où elle était située, les premières haleines du printemps, les douceurs d'une société toute sympathique, m'apportaient de longs jours de calme.

Les premières feuilles des sycomores me ravissaient par la vivacité de leurs couleurs, semblables aux panaches des coqs de Pharaon. La vue qui s'étendait au-dessus de la plaine présentait du matin au soir des horizons charmants, dont les teintes graduées plaisaient à mon imagination. Je peuplais les coteaux et les nuages de figures divines dont il me semblait voir distinctement les formes. — Je voulus fixer davantage mes pensées favorites, et à l'aide de charbons et de morceaux de briques que je ramassais, je couvris bientôt les murs d'une série de fresques où se réalisaient mes impressions. Une figure dominait toujours les autres : c'était celle d'Aurélia, peinte sous les traits d'une divinité, telle qu'elle m'était apparue dans mon rêve. Sous ses pieds tournait une roue, et les dieux lui faisaient cortège. Je parvins à colorier ce groupe en exprimant le suc des herbes et des fleurs. — Que de fois j'ai rêvé devant cette chère idole! Je fis plus, je tentai de figurer avec de la terre le corps de celle que j'aimais; tous les matins mon travail était à refaire, car les fous, jaloux de mon bonheur, se plaisaient à en détruire l'image.

On me donna du papier, et pendant longtemps je m'appliquai à représenter, par mille figures accompagnées de récits de vers et d'inscriptions en toutes les langues connues, une sorte d'histoire du monde mêlée de souvenirs d'étude et de fragments de songes que ma préoccupation rendait plus sensible ou qui en prolongeait la durée. Je ne m'arrêtais pas aux traditions modernes de la création. Ma pensée remontait au-delà : j'entrevoyais, comme en un souvenir, le premier pacte formé par les génies au moyen de talismans. J'avais essayé de réunir les pierres de la *Table sacrée*, et représenter à l'entour les sept premiers *Éloïm* qui s'étaient partagé le monde.

Ce système d'histoire, emprunté aux traditions orientales, commençait par l'heureux accord des Puissances de la nature, qui formulaient et organisaient l'univers. — Pendant la nuit qui précéda mon travail, je m'étais cru transporté dans une planète obscure où se débattaient les premiers germes de la création. Du sein de l'argile encore molle s'élevaient des palmiers gigantesques, des euphorbes vénéneux et des acanthes tortillées autour des cactus; — les figures arides des rochers s'élançaient comme des squelettes de cette ébauche de création, et de hideux reptiles serpentaient, s'élargissaient ou s'arrondissaient au milieu de l'inextricable réseau d'une végétation sauvage. La pâle lumière des astres éclairait seule les perspectives bleuâtres de cet étrange horizon; cependant à mesure que ces créations se formaient, une étoile plus lumineuse y puisait les germes de la clarté.

VIII

Puis, les monstres changeaient de forme, et dépouillant leurs premières peaux, se dressaient plus puissants sous des pattes gigantesques; l'énorme masse de leurs corps brisait les branches et les herbages, et, dans le désordre de la nature, ils se livraient des combats auxquels je prenais part moi-même, car j'avais un corps aussi étrange que les leurs. Tout à coup une singulière harmonie résonna dans nos solitudes, et il semblait que les cris, les rugissements et les sifflements confus des êtres primitifs se modulassent désormais sur cet air divin. Les variations se succédaient à l'infini, la planète s'éclairait peu à peu, des formes divines se dessinaient sur la verdure et sur les profondeurs des bocages, et, désormais domptés, tous les monstres que j'avais vus dépouillaient leurs formes bizarres et devenaient hommes et femmes; d'autres revêtaient, dans leurs transformations, la figure des bêtes sauvages, des poissons et des oiseaux.

Qui donc avait fait ce miracle ? Une déesse rayonnante guidait, dans ces nouveaux *avatars*, l'évolution rapide des humains. Il s'établit alors une distinction de races qui, partant de l'ordre des oiseaux, comprenait aussi les bêtes, les poissons et les reptiles. C'étaient les Dives, les Péris, les Ondins et les Salamandres; chaque fois qu'un de ces êtres mourait, il renaissait aussitôt sous une forme plus belle et chantait la gloire des dieux. — Cependant l'un des Eloïm eut la pensée de créer une cinquième race, composée des éléments de la terre, et qu'on appela les *Afrites*. — Ce fut le signal d'une révolution complète parmi les Esprits qui ne voulurent pas reconnaître les nouveaux possesseurs du monde. Je ne sais combien de mille ans durèrent ces combats qui ensanglantèrent le globe. Trois des Eloïm avec les Esprits de leurs races furent enfin relégués au midi de la terre, où ils fondèrent de vastes royaumes. Ils avaient emporté les secrets de la divine *cabale* qui lie les mondes, et prenaient leur force dans l'adoration de certains astres auxquels ils correspondent toujours.

Ces nécromans, bannis aux confins de la terre,
s'étaient entendus pour se transmettre la puissance.
Entouré de femmes et d'esclaves, chacun de leurs sou-
verains s'était assuré de pouvoir renaître sous la forme
d'un de ses enfants. Leur vie était de mille ans. De
puissants cabalistes les enfermaient, à l'approche de
leur mort, dans des sépulcres bien gardés où ils les
nourrissaient d'élixirs et de substances conservatrices.
Longtemps encore ils gardaient les apparences de la
vie, puis, semblables à la chrysalide qui file son cocon,
ils s'endormaient quarante jours pour renaître sous la
forme d'un jeune enfant qu'on appelait plus tard à
l'empire.

Cependant les forces vivifiantes de la terre s'épui-
saient à nourrir ces familles, dont le sang toujours le
même inondait des rejetons nouveaux. Dans de vastes
souterrains, creusés sous les hypogées et sous les
pyramides, ils avaient accumulé tous les trésors des
races passées et certains talismans qui les protégeaient
contre la colère des dieux.

C'est dans le centre de l'Afrique, au-delà des montagnes de la Lune et de l'antique Ethiopie, qu'avaient
lieu ces étranges mystères : longtemps j'y avais gémi
dans la captivité ainsi qu'une partie de la race humaine.
Les bocages que j'avais vus si verts ne portaient plus
que de pâles fleurs et des feuillages flétris; un soleil
implacable dévorait ces contrées, et les faibles enfants
de ces éternelles dynasties semblaient accablés du
poids de la vie. Cette grandeur imposante et monotone, réglée par l'étiquette et les cérémonies hiéra-
tiques, pesait à tous sans que personne osât s'y sous-
traire. Les vieillards languissaient sous le poids de
leurs couronnes et de leurs ornements impériaux, entre
des médecins et des prêtres, dont le savoir leur garan-
tissait l'immortalité. Quant au peuple, à tout jamais
engrené dans les divisions des castes, il ne pouvait
compter ni sur la vie, ni sur la liberté. Au pied des
arbres frappés de mort et de stérilité, aux bouches des
sources taries, on voyait sur l'herbe brûlée se flétrir des
enfants et des jeunes femmes énervés et sans couleur.
La splendeur des chambres royales, la majesté des por-

tiques, l'éclat des vêtements et des parures n'étaient qu'une faible consolation aux ennuis éternels de ces solitudes.

Bientôt les peuples furent décimés par des maladies, les bêtes et les plantes moururent, et les immortels, eux-mêmes, dépérissaient sous leurs habits pompeux. — Un fléau plus grand que les autres vint tout à coup rajeunir et sauver le monde. La constellation d'Orion ouvrit au ciel les cataractes des eaux; la terre, trop chargée par les glaces du pôle opposé, fit un demi-tour sur elle-même, et les mers, surmontant leurs rivages, refluèrent sur les plateaux de l'Afrique et de l'Asie; l'inondation pénétra les sables, remplit les tombeaux et les pyramides, et, pendant quarante jours, une arche mystérieuse se promena sur les mers portant l'espoir d'une création nouvelle.

Trois des Eloïm s'étaient réfugiés sur la cime la plus haute des montagnes d'Afrique. Un combat se livra entre eux. Ici ma mémoire se trouble, et je ne sais quel fut le résultat de cette lutte suprême. Seulement je vois encore debout, sur un pic baigné des eaux, une femme abandonnée par eux, qui crie les cheveux épars, se débattant contre la mort. Ses accents plaintifs dominaient le bruit des eaux... Fut-elle sauvée? je l'ignore. Les dieux, ses frères, l'avaient condamnée; mais au-dessus de sa tête brillait l'Etoile du soir, qui versait sur son front des rayons enflammés.

L'hymne interrompu de la terre et des cieux retentit harmonieusement pour consacrer l'accord des races nouvelles. Et pendant que les fils de Noé travaillaient péniblement aux rayons d'un soleil nouveau, les nécromans, blottis dans leurs demeures souterraines, y gardaient toujours leurs trésors et se complaisaient dans le silence et dans la nuit. Parfois ils sortaient timidement de leurs asiles et venaient effrayer les vivants ou répandre parmi les méchants les leçons funestes de leurs sciences.

Tels sont les souvenirs que je retraçais par une sorte de vague intuition du passé : je frémissais en reproduisant les traits hideux de ces races maudites. Partout mourait, pleurait ou languissait l'image souffrante de la Mère éternelle. A travers les vagues civilisations de l'Asie et de l'Afrique, on voyait se renouveler toujours une scène sanglante d'orgie et de carnage que les mêmes esprits reproduisaient sous des formes nouvelles. La dernière se passait à Grenade, où le talisman sacré s'écroulait sous les coups ennemis des chrétiens et des Maures. Combien d'années encore le monde aura-t-il à souffrir, car il faut que la vengeance de ces éternels ennemis se renouvelle sous d'autres cieux! Ce sont les tronçons divisés du serpent qui entoure la terre... Séparés par le fer, ils se rejoignent dans un hideux baiser cimenté par le sang des hommes.

IX

Telles furent les images qui se montrèrent tour à tour devant mes yeux. Peu à peu le calme était rentré dans mon esprit, et je quittai cette demeure qui était pour moi un paradis. Des circonstances fatales préparèrent longtemps après une rechute qui renoua la série interrompue de ces étranges rêveries. — Je me promenais dans la campagne préoccupé d'un travail qui se rattachait aux idées religieuses. En passant devant une maison, j'entendis un oiseau qui parlait selon quelques mots qu'on lui avait appris, mais dont le bavardage confus me parut avoir un sens; il me rappela celui de la vision que j'ai racontée plus haut, et je sentis un frémissement de mauvais augure. Quelques pas plus loin, je rencontrai un ami que je n'avais pas vu depuis longtemps et qui demeurait dans une maison voisine. Il voulut me faire voir sa propriété, et, dans cette visite, il me fit monter sur une terrasse élevée d'où l'on découvrait un vaste horizon. C'était au coucher du soleil. En descendant les marches d'un escalier rustique, je fis un faux pas, et ma poitrine alla porter sur l'angle d'un meuble. J'eus assez de force pour me relever et m'élançai jusqu'au milieu du jardin, me croyant frappé à mort, mais voulant, avant de mourir, jeter un dernier regard au soleil couchant. Au milieu des regrets qu'entraîne

un tel moment, je me sentais heureux de mourir ainsi,
à cette heure, et au milieu des arbres, des treilles et des
fleurs d'automne. Ce ne fut cependant qu'un évanouis-
sement, après lequel j'eus encore la force de regagner
ma demeure pour me mettre au lit. La fièvre s'empara
de moi ; en me rappelant de quel point j'étais tombé,
je me souvins que la vue que j'avais admirée donnait
sur un cimetière, celui même où se trouvait le tombeau
d'Aurélia. Je n'y pensai véritablement qu'alors, sans
quoi je pourrais attribuer ma chute à l'impression
que cet aspect m'aurait fait éprouver. — Cela même
me donna l'idée d'une fatalité plus précise. Je regrettai
d'autant plus que la mort ne m'eût pas réuni à elle.
Puis, en y songeant, je me dis que je n'en étais pas
digne. Je me représentai amèrement la vie que j'avais
menée depuis sa mort, me reprochant, non de l'avoir
oubliée, ce qui n'était point arrivé, mais d'avoir, en de
faciles amours, fait outrage à sa mémoire. L'idée me
vint d'interroger le sommeil, mais *son* image, qui
m'était apparue souvent, ne revenait plus dans mes
songes. Je n'eus d'abord que des rêves confus, mêlés
de scènes sanglantes. Il semblait que toute une race
fatale se fût déchaînée au milieu du monde idéal que
j'avais vu autrefois et dont elle était la reine. Le même
Esprit qui m'avait menacé, — lorsque j'entrais dans
la demeure de ces familles pures qui habitaient les
hauteurs de la *Ville mystérieuse*, — passa devant moi,
non plus dans ce costume blanc qu'il portait jadis,
ainsi que ceux de sa race, mais vêtu en prince d'Orient.
Je m'élançai vers lui, le menaçant, mais il se tourna
tranquillement vers moi. O terreur ! ô colère ! c'était
mon visage, c'était toute ma forme idéalisée et gran-
die... Alors je me souvins de celui qui avait été arrêté
la même nuit que moi et que, selon ma pensée, on
avait fait sortir sous mon nom du corps de garde,
lorsque deux amis étaient venus pour me chercher. Il
portait à la main une arme dont je distinguais mal la
forme, et l'un de ceux qui l'accompagnaient dit :
« C'est avec cela qu'il l'a frappé. »

Je ne sais comment expliquer que dans mes idées
les événements terrestres pouvaient coïncider avec ceux

du monde surnaturel, cela est plus facile à *sentir* qu'à énoncer clairement[1]. Mais quel était donc cet Esprit qui était moi et en dehors de moi. Etait-ce le *Double* des légendes, ou ce frère mystique que les Orientaux appellent *Ferouër ?* — N'avais-je pas été frappé de l'histoire de ce chevalier qui combattit toute une nuit dans une forêt contre un inconnu qui était lui-même ? Quoi qu'il en soit, je crois que l'imagination humaine n'a rien inventé qui ne soit vrai, dans ce monde ou dans les autres, et je ne pouvais douter de ce que j'avais *vu* si distinctement.

Une idée terrible me vint : l'homme est double, me dis-je. — « Je sens deux hommes en moi », a écrit un Père de l'Eglise. — Le concours de deux âmes a déposé ce germe mixte dans un corps qui lui-même offre à la vue deux portions similaires reproduites dans tous les organes de sa structure. Il y a en tout homme un spectateur et un acteur, celui qui parle et celui qui répond. Les Orientaux ont vu là deux ennemis : le bon et le mauvais génie. Suis-je le bon ? suis-je le mauvais ? me disais-je. En tout cas, *l'autre* m'est hostile... Qui sait s'il n'y a pas telle circonstance ou tel âge où ces deux esprits se séparent ? Attachés au même corps tous deux par une affinité matérielle, peut-être l'un est-il promis à la gloire et au bonheur, l'autre à l'anéantissement ou à la souffrance éternelle ? — Un éclair fatal traversa tout à coup cette obscurité... Aurélia n'était plus à moi!... Je croyais entendre parler d'une cérémonie qui se passait ailleurs, et des apprêts d'un mariage mystique qui était le mien, et où *l'autre* allait profiter de l'erreur de mes amis et d'Aurélia elle-même. Les personnes les plus chères qui venaient me voir et me consoler me paraissaient en proie à l'incertitude, c'est-à-dire que les deux parties de leurs âmes se séparaient aussi à mon égard, l'une affectionnée et confiante, l'autre comme frappée de mort à mon égard. Dans ce que ces personnes me disaient, il y avait un sens double, bien que toutefois

1. Cela faisait allusion, pour moi, au coup que j'avais reçu dans ma chute.

elles ne s'en rendissent pas compte, puisqu'elles
n'étaient pas *en esprit* comme moi. Un instant même
cette pensée me sembla comique en songeant à Amphi-
tryon et à Sosie. Mais si ce symbole grotesque était
autre chose, — si, comme dans d'autres fables de l'antiquité, c'était la vérité fatale sous un masque de folie.
Eh bien, me dis-je, luttons contre l'esprit fatal,
luttons contre le dieu lui-même avec les armes de la
tradition et de la science. Quoi qu'il fasse dans l'ombre
et la nuit, j'existe, — et j'ai pour le vaincre tout le
temps qu'il m'est donné encore de vivre sur la terre.

X

Comment peindre l'étrange désespoir où ces idées
me réduisirent peu à peu ? Un mauvais génie avait pris
ma place dans le monde des âmes, — pour Aurélia,
c'était moi-même, et l'esprit désolé qui vivifiait mon
corps, affaibli, dédaigné, méconnu d'elle, se voyait à
jamais destiné au désespoir ou au néant. J'employai
toutes les forces de ma volonté pour pénétrer encore le
mystère dont j'avais levé quelques voiles. Le rêve se
jouait parfois de mes efforts et n'amenait que des
figures grimaçantes et fugitives. Je ne puis donner ici
qu'une idée assez bizarre de ce qui résulta de cette
contention d'esprit. Je me sentais glisser comme sur
un fil tendu dont la longueur était infinie. La terre,
traversée de veines colorées de métaux en fusion,
comme je l'avais vue déjà, s'éclaircissait peu à peu
par l'épanouissement du feu central, dont la blancheur
se fondait avec les teintes cerise qui coloraient les
flancs de l'orbe intérieur. Je m'étonnais de temps en
temps de rencontrer de vastes flaques d'eau, suspen-
dues comme le sont les nuages dans l'air, et toutefois
offrant une telle densité, qu'on pouvait en détacher
des flocons; mais il est clair qu'il s'agissait là d'un
liquide différent de l'eau terrestre, et qui était sans
doute l'évaporation de celui qui figurait la mer et
les fleuves pour le monde des esprits.

J'arrivai en vue d'une vaste plage montueuse et

toute couverte d'une espèce de roseaux de teinte ver-
dâtre, jaunis aux extrémités comme si les feux du
soleil les eussent en partie desséchés, — mais je n'ai
pas vu de soleil plus que les autres fois. — Un château dominait la côte que je me mis à gravir. Sur l'autre
versant, je vis s'étendre une ville immense. Pendant que
j'avais traversé la montagne, la nuit était venue, et
j'apercevais les lumières des habitations et des rues.
En descendant, je me trouvai dans un marché où l'on
vendait des fruits et des légumes pareils à ceux du
Midi.

Je descendis par un escalier obscur et me trouvai
dans les rues. On affichait l'ouverture d'un casino,
et les détails de sa distribution se trouvaient énoncés
par articles. L'encadrement typographique était fait
de guirlandes de fleurs si bien représentées et coloriées,
qu'elles semblaient naturelles. — Une partie du bâti-
ment était encore en construction. J'entrai dans un
atelier où je vis des ouvriers qui modelaient en glaise
un animal énorme de la forme d'un lama, mais qui
paraissait devoir être muni de grandes ailes. Ce
monstre était comme traversé d'un jet de feu qui
l'animait peu à peu, de sorte qu'il se tordait, pénétré
par mille filets pourprés, formant les veines et les
artères et fécondant pour ainsi dire l'inerte matière,
qui se revêtait d'une végétation instantanée d'appen-
dices fibreux d'ailerons et de touffes laineuses. Je
m'arrêtai à contempler ce chef-d'œuvre, où l'on semblait avoir surpris les secrets de la création divine.
« C'est que nous avons ici, me dit-on, le feu primitif
qui anima les premiers êtres... Jadis il s'élançait jusqu'à la surface de la terre, mais les sources se sont
taries. » Je vis aussi des travaux d'orfèvrerie où l'on
employait deux métaux inconnus sur la terre; l'un
rouge qui semblait correspondre au cinabre, et l'autre
bleu d'azur. Les ornements n'étaient ni martelés, ni
ciselés, mais se formaient, se coloraient et s'épanouissaient comme les plantes métalliques qu'on fait
naître de certaines mixtions chimiques. « Ne créerait-
on pas aussi des hommes ? » dis-je à l'un des travailleurs; mais il me répliqua : « Les hommes viennent

d'en haut et non d'en bas : pouvons-nous nous créer nous-mêmes ? Ici, l'on ne fait que formuler par les progrès successifs de nos industries une matière plus subtile que celle qui compose la croûte terrestre. Ces fleurs qui vous paraissent naturelles, cet animal qui semblera vivre, ne seront que des produits de l'art élevé au plus haut point de nos connaissances, et chacun les jugera ainsi. »

Telles sont à peu près les paroles, ou qui me furent dites, ou dont je crus percevoir la signification. Je me mis à parcourir les salles du casino et j'y vis une grande foule, dans laquelle je distinguai quelques personnes qui m'étaient connues, les unes vivantes, d'autres mortes en divers temps. Les premiers semblaient ne pas me voir, tandis que les autres me répondaient sans avoir l'air de me connaître. J'étais arrivé à la plus grande salle, qui était toute tendue de velours ponceau à bandes d'or tramé, formant de riches dessins. Au milieu se trouvait un sofa en forme de trône. Quelques passants s'y asseyaient pour en éprouver l'élasticité ; mais, les préparatifs n'étant pas terminés, ils se dirigeaient vers d'autres salles. On parlait d'un mariage et de l'époux qui, disait-on, devait arriver pour annoncer le moment de la fête. Aussitôt un transport insensé s'empara de moi. J'imaginai que celui qu'on attendait était mon *double* qui devait épouser Aurélia, et je fis un scandale qui sembla consterner l'assemblée. Je me mis à parler avec violence, expliquant mes griefs et invoquant le secours de ceux qui me connaissaient. Un vieillard me dit : « Mais on ne se conduit pas ainsi, vous effrayez tout le monde. » Alors je m'écriai : « Je sais bien qu'il m'a frappé déjà de ses armes, mais je l'attends sans crainte et je connais le signe qui doit le vaincre. »

En ce moment un des ouvriers de l'atelier que j'avais visité en entrant parut tenant une longue barre, dont l'extrémité se composait d'une boule rougie au feu. Je voulus m'élancer sur lui, mais la boule qu'il tenait en arrêt menaçait toujours ma tête. On semblait autour de moi me railler de mon impuissance... Alors je me reculai jusqu'au trône, l'âme pleine d'un indicible orgueil, et je levai le bras pour faire un signe qui me semblait avoir une puissance magique. Le cri d'une femme, distinct et vibrant, empreint d'une douleur déchirante, me réveilla en sursaut! Les syllabes d'un mot inconnu que j'allais prononcer expiraient sur mes lèvres... Je me précipitai à terre et je me mis à prier avec ferveur en pleurant à chaudes larmes. — Mais quelle était donc cette voix qui venait de résonner si douloureusement dans la nuit ?

Elle n'appartenait pas au rêve; c'était la voix d'une personne vivante, et pourtant c'était pour moi la voix et l'accent d'Aurélia...

J'ouvris ma fenêtre; tout était tranquille, et le cri ne se répéta plus. — Je m'informai au-dehors, personne n'avait rien entendu. — Et cependant, je suis encore certain que le cri était réel et que l'air des vivants en avait retenti... Sans doute, on me dira que le hasard a pu faire qu'à ce moment-là même une femme souffrante ait crié dans les environs de ma demeure. — Mais selon ma pensée, les événements terrestres étaient liés à ceux du monde invisible. C'est un de ces rapports étranges dont je ne me rends pas compte moi-même et qu'il est plus aisé d'indiquer que de définir...

Qu'avais-je fait ? J'avais troublé l'harmonie de l'univers magique où mon âme puisait la certitude d'une existence immortelle. J'étais maudit peut-être pour avoir voulu percer un mystère redoutable en offensant la loi divine; je ne devais plus attendre que la colère et le mépris! Les ombres irritées fuyaient en jetant des cris et traçant dans l'air des cercles fatals, comme les oiseaux à l'approche d'un orage.

SECONDE PARTIE

Eurydice! Eurydice!

I

Une seconde fois perdue!

Tout est fini, tout est passé! C'est moi maintenant qui dois mourir et mourir sans espoir. — Qu'est-ce donc que la mort? Si c'était le néant... Plût à Dieu! Mais Dieu lui-même ne peut faire que la mort soit le néant.

Pourquoi donc est-ce la première fois, depuis si longtemps, que je songe à *lui*? Le système fatal qui s'était créé dans mon esprit n'admettait pas cette royauté solitaire... ou plutôt elle s'absorbait dans la somme des êtres : c'était le dieu de Lucrétius, impuissant et perdu dans son immensité.

Elle, pourtant, croyait à Dieu, et j'ai surpris un jour le nom de Jésus sur ses lèvres. Il en coulait si doucement que j'en ai pleuré. O mon Dieu! cette larme, — cette larme... Elle est séchée depuis si longtemps! Cette larme, mon Dieu! rendez-la-moi!

Lorsque l'âme flotte incertaine entre la vie et le rêve, entre le désordre de l'esprit et le retour de la froide réflexion, c'est dans la pensée religieuse que l'on doit chercher des secours; — je n'en ai jamais pu trouver dans cette philosophie qui ne nous présente que des maximes d'égoïsme ou tout au plus de réciprocité, une expérience vaine, des doutes amers; — elle lutte contre les douleurs morales en anéantissant la sensibilité; pareille à la chirurgie, elle ne sait que retrancher l'organe qui fait souffrir. — Mais pour nous, nés dans des jours de révolutions et d'orages, où toutes les croyances ont été brisées; — élevés tout au plus dans cette foi vague qui se contente de quelques pratiques extérieures et dont l'adhésion indifférente est plus coupable peut-être que l'impiété ou l'hérésie, — il est bien difficile, dès que nous en sentons le besoin, de reconstruire l'édifice mystique dont les innocents et les simples admettent dans leurs cœurs la figure toute tracée. « L'arbre de science n'est pas l'arbre de vie ! » Cependant, pouvons-nous rejeter de notre esprit ce que tant de générations intelligentes y ont versé de bon ou de funeste ? L'ignorance ne s'apprend pas.

J'ai meilleur espoir de la bonté de Dieu : peut-être touchons-nous à l'époque prédite où la science, ayant accompli son cercle entier de synthèse et d'analyse, de croyance et de négation, pourra s'épurer elle-même et faire jaillir du désordre et des ruines la cité merveilleuse de l'avenir... Il ne faut pas faire si bon marché de la raison humaine, que de croire qu'elle gagne quelque chose à s'humilier tout entière, car ce serait accuser sa céleste origine... Dieu appréciera la pureté des intentions sans doute, et quel est le père qui se complairait à voir son fils abdiquer devant lui tout raisonnement et toute fierté ! L'apôtre qui voulait toucher pour croire n'a pas été maudit pour cela !

———

Qu'ai-je écrit là ? Ce sont des blasphèmes. L'humilité chrétienne ne peut parler ainsi. De telles pensées sont loin d'attendrir l'âme. Elles ont sur le front les éclairs d'orgueil de la couronne de Satan... Un pacte avec Dieu lui-même ?... O science ! ô vanité !

———

J'avais réuni quelques livres de cabale. Je me plongeai dans cette étude, et j'arrivai à me persuader que tout était vrai dans ce qu'avait accumulé là-dessus l'esprit humain pendant des siècles. La conviction que je m'étais formée de l'existence du monde extérieur coïncidait trop bien avec mes lectures pour que je doutasse désormais des révélations du passé. Les

dogmes et les rites des diverses religions me paraissaient s'y rapporter de telle sorte que chacune possé-
dait une certaine portion de ces arcanes qui consti-
tuaient ses moyens d'expansion et de défense. Ces
forces pouvaient s'affaiblir, s'amoindrir et disparaître,
ce qui amenait l'envahissement de certaines races par
d'autres, nulles ne pouvant être victorieuses ou vain-
cues que par l'Esprit.

Toutefois, me disais-je, il est sûr que ces sciences
sont mélangées d'erreurs humaines. L'alphabet magique, l'hiéroglyphe mystérieux ne nous arrivent
qu'incomplets et faussés soit par le temps, soit par
ceux-là même qui ont intérêt à notre ignorance;
retrouvons la lettre perdue ou le signe effacé, recompo-
sons la gamme dissonante, et nous prendrons force
dans le monde des esprits.

C'est ainsi que je croyais percevoir les rapports du
monde réel avec le monde des esprits. La terre, ses
habitants et leur histoire étaient le théâtre où venaient
s'accomplir les actions physiques qui préparaient
l'existence et la situation des êtres immortels attachés à
sa destinée. Sans agiter le mystère impénétrable de
l'éternité des mondes, ma pensée remonta à l'époque
où le soleil, pareil à la plante qui le représente, qui de
sa tête inclinée suit la révolution de sa marche céleste,
semait sur la terre les germes féconds des plantes et
des animaux. Ce n'était autre chose que le feu même
qui, étant un composé d'âmes, formulait instinctive-
ment la demeure commune. L'Esprit de l'Etre-Dieu,
reproduit et pour ainsi dire reflété sur la terre, devenait
le type commun des âmes humaines, dont chacune,
par suite, était à la fois homme et Dieu. Tels furent les
Eloïm.

Quand on se sent malheureux, on songe au malheur
des autres. J'avais mis quelque négligence à visiter un
de mes amis les plus chers, qu'on m'avait dit malade.
En me rendant à la maison où il était traité, je me
reprochais vivement cette faute. Je fus encore plus
désolé lorsque mon ami me raconta qu'il avait été la

veille au plus mal. J'entrai dans une chambre d'hospice, blanchie à la chaux. Le soleil découpait des
angles joyeux sur les murs et se jouait sur un vase de
fleurs qu'une religieuse venait de poser sur la table du
malade. C'était presque la cellule d'un anachorète
italien. — Sa figure amaigrie, son teint semblable à
l'ivoire jauni, relevé par la couleur noire de sa barbe
et de ses cheveux, ses yeux illuminés d'un reste de
fièvre, peut-être aussi l'arrangement d'un manteau à
capuchon jeté sur ses épaules, en faisaient pour moi
un être à moitié différent de celui que j'avais connu.
Ce n'était plus le joyeux compagnon de mes travaux
et de mes plaisirs; il y avait en lui un apôtre. Il me
raconta comment il s'était vu, au plus fort des souffrances de son mal, saisi d'un dernier transport qui
lui parut être le moment suprême. Aussitôt la douleur
avait cessé comme par prodige. — Ce qu'il me raconta
ensuite est impossible à rendre : un rêve sublime dans
les espaces les plus vagues de l'infini, une conversation
avec un être à la fois différent et participant de lui-
même, et à qui, se croyant mort, il demandait où était
Dieu. — Mais Dieu est partout, lui répondait son
esprit; il est en toi-même et en tous. Il te juge, il t'écoute,
il te conseille; c'est toi et *moi* qui pensons et rêvons
ensemble, — et nous ne nous sommes jamais quittés,
et nous sommes éternels!

Je ne puis citer autre chose de cette conversation, que
j'ai peut-être mal entendue ou mal comprise. Je sais
seulement que l'impression en fut très vive. Je n'ose
attribuer à mon ami les conclusions que j'ai peut-être
faussement tirées de ses paroles. J'ignore même si le
sentiment qui en résulte n'est pas conforme à l'idée
chrétienne...

Dieu est avec lui, m'écriai-je... mais il n'est plus
avec moi! O malheur! je l'ai chassé de moi-même, je l'ai
menacé, je l'ai maudit! C'était bien lui, ce frère mystique, qui s'éloignait de plus en plus de mon âme et
qui m'avertissait en vain! Cet époux préféré, ce roi de
gloire, c'est lui qui me juge et me condamne, et qui
emporte à jamais dans son ciel celle qu'il m'eût donnée
et dont je suis indigne désormais!

II

Je ne puis dépeindre l'abattement où me jetèrent ces idées. Je comprends, me dis-je, j'ai préféré la créature au créateur ; j'ai déifié mon amour et j'ai adoré, selon les rites païens, celle dont le dernier soupir a été consacré au Christ. Mais si cette religion dit vrai, Dieu peut me pardonner encore. Il peut me la rendre si je m'humilie devant lui ; peut-être son esprit reviendra-t-il en moi ! — J'errais dans les rues, au hasard, plein de cette pensée. Un convoi croisa ma marche, il se dirigeait vers le cimetière où elle avait été ensevelie ; j'eus l'idée de m'y rendre en me joignant au cortège. J'ignore, me disais-je, quel est ce mort que l'on conduit à la fosse, mais je sais maintenant que les morts nous voient et nous entendent, — peut-être sera-t-il content de se voir suivi d'un frère de douleurs, plus triste qu'aucun de ceux qui l'accompagnent. Cette idée me fit verser des larmes, et sans doute on crut que j'étais un des meilleurs amis du défunt. O larmes bénies ! depuis longtemps votre douceur m'était refusée !... Ma tête se dégageait, et un rayon d'espoir me guidait encore. Je me sentais la force de prier, et j'en jouissais avec transport.

Je ne m'informai pas même du nom de celui dont j'avais suivi le cercueil. Le cimetière où j'étais entré m'était sacré à plusieurs titres. Trois parents de ma famille maternelle y avaient été ensevelis ; mais je ne pouvais aller prier sur leurs tombes, car elles avaient été transportées depuis plusieurs années dans une terre éloignée, lieu de leur origine. — Je cherchai longtemps la tombe d'Aurélia, et je ne pus la retrouver. Les dispositions du cimetière avaient été changées, — peut-être aussi ma mémoire était-elle égarée... Il me semblait que ce hasard, cet oubli, ajoutaient encore à ma condamnation. — Je n'osai pas dire aux gardiens le nom d'une morte sur laquelle je n'avais religieusement aucun droit... Mais je me souvins que j'avais chez moi l'indication précise de la tombe, et j'y courus, le cœur palpitant, la tête perdue. Je l'ai dit déjà : j'avais

entouré mon amour de superstitions bizarres. — Dans
un petit coffret qui *lui* avait appartenu, je conservais
sa dernière lettre. Oserai-je avouer encore que j'avais
fait de ce coffret une sorte de reliquaire qui me rappelait
de longs voyages où sa pensée m'avait suivi : une rose
cueillie dans les jardins de Schoubrah, un morceau de
bandelette rapportée d'Egypte, des feuilles de laurier
cueillies dans la rivière de Beyrouth, deux petits cristaux dorés, des mosaïques de Sainte-Sophie, un grain
de chapelet, que sais-je encore ?... enfin le papier qui
m'avait été donné le jour où la tombe fut creusée,
afin que je pusse la retrouver... Je rougis, je frémis en
dispersant ce fol assemblage. Je pris sur moi les deux
papiers, et au moment de me diriger de nouveau vers
le cimetière, je changeai de résolution. — Non, me
dis-je, je ne suis pas digne de m'agenouiller sur la
tombe d'une chrétienne; n'ajoutons pas une profanation à tant d'autres!... Et pour apaiser l'orage qui
grondait dans ma tête, je me rendis à quelques lieues
de Paris, dans une petite ville où j'avais passé quelques
jours heureux au temps de ma jeunesse, chez de vieux
parents, morts depuis. J'avais aimé souvent à y venir
voir coucher le soleil près de leur maison. Il y avait là
une terrasse ombragée de tilleuls qui me rappelait
aussi le souvenir de jeunes filles, de parentes, parmi
lesquelles j'avais grandi. Une d'elles...

Mais opposer ce vague amour d'enfance à celui qui
a dévoré ma jeunesse, y avais-je songé seulement ? Je
vis le soleil décliner sur la vallée qui s'emplissait de
vapeurs et d'ombre; il disparut, baignant de feux
rougeâtres la cime des bois qui bordaient de hautes
collines. La plus morne tristesse entra dans mon cœur.
— J'allai coucher dans une auberge où j'étais connu.
L'hôtelier me parla d'un de mes anciens amis, habitant de la ville, qui, à la suite de spéculations mal-
heureuses, s'était tué d'un coup de pistolet... Le sommeil m'apporta des rêves terribles. Je n'en ai conservé
qu'un souvenir confus. — Je me trouvais dans une
salle inconnue et je causais avec quelqu'un du monde
extérieur, — l'ami dont je viens de parler, peut-être.
Une glace très haute se trouvait derrière nous. En y

jetant par hasard un coup d'œil, il me sembla reconnaître A***. Elle semblait triste et pensive, et tout à coup, soit qu'elle sortît de la glace, soit que passant dans la salle elle se fût reflétée un instant avant, cette figure douce et chérie se trouva près de moi. Elle me tendit la main, laissa tomber sur moi un regard douloureux et me dit : « Nous nous reverrons plus tard... à la maison de ton ami. »

En un instant je me représentais son mariage, la malédiction qui nous séparait... et je me dis : Est-ce possible ? reviendrait-elle à moi ? « M'avez-vous pardonné ? demandais-je avec larmes. » Mais tout avait disparu. Je me trouvais dans un lieu désert, une âpre montée semée de roches, au milieu des forêts. Une maison, qu'il me semblait reconnaître, dominait ce pays désolé. J'allais et je revenais par des détours inextricables. Fatigué de marcher entre les pierres et les ronces, je cherchais parfois une route plus douce par les sentes du bois. — On m'attend là-bas! pensais-je. — Une certaine heure sonna... Je me dis : *Il est trop tard!* Des voix me répondirent : « *Elle est perdue!* » Une nuit profonde m'entourait, la maison lointaine brillait comme éclairée pour une fête et pleine d'hôtes arrivés à temps. — Elle est perdue! m'écriai-je, et pourquoi ?... Je comprends, — elle a fait un dernier effort pour me sauver; — j'ai manqué le moment suprême où le pardon était possible encore. Du haut du ciel, elle pouvait prier pour moi l'Epoux divin... Et qu'importe mon salut même ? L'abîme a reçu sa proie! Elle est perdue pour moi et pour tous!... Il me semblait la voir comme à la lueur d'un éclair, pâle et mourante, entraînée par de sombres cavaliers... Le cri de douleur et de rage que je poussai en ce moment me réveilla tout haletant.

— Mon Dieu, mon Dieu! pour elle et pour elle seule, mon Dieu, pardonnez! m'écriai-je en me jetant à genoux.

Il faisait jour. Par un mouvement dont il m'est difficile de rendre compte, je résolus aussitôt de détruire les deux papiers que j'avais tirés la veille du coffret : la lettre, hélas! que je relus en la mouillant de larmes, et le

papier funèbre qui portait le cachet du cimetière.
— Retrouver sa tombe maintenant ? me disais-je, mais
c'est hier qu'il fallait y retourner, — et mon rêve fatal
n'est que le reflet de ma fatale journée!

III

La flamme a dévoré ces reliques d'amour et de mort,
qui se renouaient aux fibres les plus douloureuses de
mon cœur. Je suis allé promener mes peines et mes
remords tardifs dans la campagne, cherchant dans la
marche et dans la fatigue l'engourdissement de la
pensée, la certitude peut-être pour la nuit suivante
d'un sommeil moins funeste. Avec cette idée que je
m'étais faite du rêve comme ouvrant à l'homme une
communication avec le monde des esprits, j'espérais...
j'espérais encore! Peut-être Dieu se contenterait-il de
ce sacrifice. — Ici, je m'arrête; il y a trop d'orgueil
à prétendre que l'état d'esprit où j'étais fût causé
seulement par un souvenir d'amour. Disons plutôt
qu'involontairement j'en parais les remords plus
graves d'une vie follement dissipée où le mal avait
triomphé bien souvent, et dont je ne reconnaissais les
fautes qu'en sentant les coups du malheur. Je ne me
trouvais plus digne même de penser à celle que je
tourmentais dans sa mort après l'avoir affligée dans sa
vie, n'ayant dû un dernier regard de pardon qu'à sa
douce et sainte pitié.

La nuit suivante, je ne pus dormir que peu d'instants. Une femme qui avait pris soin de ma jeunesse
m'apparut dans le rêve et me fit reproche d'une faute
très grave que j'avais commise autrefois. Je la reconnaissais, quoiqu'elle parût beaucoup plus vieille que
dans les derniers temps où je l'avais vue. Cela même
me faisait songer amèrement que j'avais négligé d'aller
la visiter à ses derniers instants. Il me sembla qu'elle
me disait : « Tu n'as pas pleuré tes vieux parents aussi
vivement que tu as pleuré cette femme. Comment
peux-tu donc espérer le pardon ? » Le rêve devint
confus. Des figures de personnes que j'avais connues

en divers temps passèrent rapidement devant mes yeux. Elles défilaient s'éclairant, pâlissant et retombant dans la nuit comme les grains d'un chapelet dont le lien s'est brisé. Je vis ensuite se former vaguement des images plastiques de l'antiquité qui s'ébauchaient, se fixaient et semblaient représenter des symboles dont je ne saisissais que difficilement l'idée. Seulement je crus que cela voulait dire : tout cela était fait pour t'enseigner le secret de la vie, et tu n'as pas compris. Les religions et les fables, les saints et les poètes s'accordaient à expliquer l'énigme fatale, et tu as mal interprété... Maintenant il est trop tard!

Je me levai plein de terreur, me disant : C'est mon dernier jour! A dix ans d'intervalle, la même idée que j'ai tracée dans la première partie de ce récit me revenait plus positive encore et plus menaçante. Dieu m'avait laissé ce temps pour me repentir, et je n'en avais point profité. — Après la visite du *convive de pierre*, je m'étais rassis au festin!

IV

Le sentiment qui résulta pour moi de ces visions et des réflexions qu'elles amenaient pendant mes heures de solitude était si triste, que je me sentais comme perdu. Toutes les actions de ma vie m'apparaissaient sous leur côté le plus défavorable, et dans l'espèce d'examen de conscience auquel je me livrais, la mémoire me représentait les faits les plus anciens avec une netteté singulière. Je ne sais quelle fausse honte m'empêcha de me présenter au confessionnal; la crainte peut-être de m'engager dans les dogmes et dans les pratiques d'une religion redoutable, contre certains points de laquelle j'avais conservé des préjugés philosophiques. Mes premières années ont été trop imprégnées des idées issues de la révolution, mon éducation a été trop libre, ma vie trop errante, pour que j'accepte facilement un joug qui sur bien des points offenserait encore ma raison. Je frémis en songeant quel chrétien je ferais si certains principes

empruntés au libre examen des deux derniers siècles,
si l'étude encore des diverses religions ne m'arrêtaient
sur cette pente. — Je n'ai jamais connu ma mère, qui
avait voulu suivre mon père aux armées, comme les
femmes des anciens Germains; elle mourut de fièvre
et de fatigue dans une froide contrée de l'Allemagne, et
mon père lui-même ne put diriger là-dessus mes premières idées. Le pays où je fus élevé était plein de
légendes étranges et de superstitions bizarres. Un de
mes oncles qui eut la plus grande influence sur ma
première éducation s'occupait, pour se distraire, d'an-
tiquités romaines et celtiques. Il trouvait parfois dans
son champ ou aux environs des images de dieux et
d'empereurs que son admiration de savant me faisait
vénérer, et dont ses livres m'apprenaient l'histoire. Un
certain Mars en bronze doré, une Pallas ou Vénus
armée, un Neptune et une Amphitrite sculptés au-
dessus de la fontaine du hameau, et surtout la bonne
grosse figure barbue d'un dieu Pan souriant à l'entrée
d'une grotte, parmi les festons de l'aristoloche et du
lierre, étaient les dieux domestiques et protecteurs de
cette retraite. J'avoue qu'ils m'inspiraient alors plus
de vénération que les pauvres images chrétiennes de
l'église et les deux saints informes du portail, que certains savants du pays prétendaient être l'Esus et le
Cernunnos des Gaulois. Embarrassé au milieu de ces
divers symboles, je demandai un jour à mon oncle, ce
que c'était que Dieu. « Dieu, c'est le soleil, me dit-il. »
C'était la pensée intime d'un honnête homme qui
avait vécu en chrétien toute sa vie, mais qui avait
traversé la révolution, et qui était d'une contrée où
plusieurs avaient la même idée de la Divinité. Cela
n'empêchait pas que les femmes et les enfants n'al-
lassent à l'église, et je dus à une de mes tantes quelques
instructions qui me firent comprendre les beautés et les
grandeurs du christianisme. Après 1815, un Anglais
qui se trouvait dans notre pays me fit apprendre le
Sermon sur la montagne et me donna un Nouveau
Testament... Je ne cite ces détails que pour indiquer les
causes d'une certaine irrésolution qui s'est souvent
unie chez moi à l'esprit religieux le plus prononcé.

Je veux expliquer comment, éloigné longtemps de la vraie route, je m'y suis senti ramené par le souvenir chéri d'une personne morte, et comment le besoin de croire qu'elle existait toujours a fait rentrer dans mon esprit le sentiment précis des diverses vérités que je n'avais pas assez fermement recueillies en mon âme. Le désespoir et le suicide sont le résultat de certaines situations fatales pour qui n'a pas foi dans l'immortalité, dans ses peines et dans ses joies; — je croirai avoir fait quelque chose de bon et d'utile en énonçant naïvement la succession des idées par lesquelles j'ai retrouvé le repos et une force nouvelle à opposer aux malheurs futurs de la vie.

Les visions qui s'étaient succédé pendant mon sommeil m'avaient réduit à un tel désespoir, que je pouvais à peine parler; la société de mes amis ne m'inspirait qu'une distraction vague; mon esprit, entièrement occupé de ces illusions, se refusait à la moindre conception différente; je ne pouvais lire et comprendre dix lignes de suite. Je me disais des plus belles choses : Qu'importe! cela n'existe pas pour moi. Un de mes amis, nommé Georges, entreprit de vaincre ce découragement. Il m'emmenait dans diverses contrées des environs de Paris, et consentait à parler seul, tandis que je ne répondais qu'avec quelques phrases décousues. Sa figure expressive, et presque cénobitique, donna un jour un grand effet à des choses fort éloquentes qu'il trouva contre ces années de scepticisme et de découragement politique et social qui succédèrent à la révolution de Juillet. J'avais été l'un des jeunes de cette époque, et j'en avais goûté les ardeurs et les amertumes. Un mouvement se fit en moi; je me dis que de telles leçons ne pouvaient être données sans une intention de la Providence, et qu'un esprit parlait sans doute en lui... Un jour, nous dînions sous une treille, dans un petit village des environs de Paris; une femme vint chanter près de notre table, et je ne sais quoi, dans sa voix usée mais sympathique, me rappela celle d'Aurélia. Je la regardai : ses traits mêmes n'étaient pas sans ressemblance avec ceux que j'avais aimés. On la renvoya, et je n'osai la retenir,

mais je me disais : Qui sait si *son esprit* n'est pas
dans cette femme! et je me sentis heureux de l'au-
mône que j'avais faite.

Je me dis : J'ai bien mal usé de la vie, mais si les
morts pardonnent, c'est sans doute à condition que
l'on s'abstiendra à jamais du mal, et qu'on réparera
tout celui qu'on a fait. Cela se peut-il ?... Dès ce
moment, essayons de ne plus mal faire, et rendons
l'équivalent de tout ce que nous pouvons devoir.
— J'avais un tort récent envers une personne; ce n'était
qu'une négligence, mais je commençai par m'en aller
excuser. La joie que je reçus de cette réparation me fit
un bien extrême; j'avais un motif de vivre et d'agir
désormais, je reprenais intérêt au monde.

Des difficultés surgirent : des événements inexpli-
cables pour moi semblèrent se réunir pour contrarier
ma bonne résolution. La situation de mon esprit me
rendait impossible l'exécution de travaux convenus.
Me croyant bien portant désormais, on devenait plus
exigeant et, comme j'avais renoncé au mensonge, je
me trouvais pris en défaut par des gens qui ne crai-
gnaient pas d'en user. La masse des réparations à faire
m'écrasait en raison de mon impuissance. Des événements politiques agissaient indirectement, tant pour
m'affliger que pour m'ôter le moyen de mettre ordre à
mes affaires. La mort d'un de mes amis vint compléter
ces motifs de découragement. Je revis avec douleur
son logis, ses tableaux, qu'il m'avait montrés avec joie
un mois auparavant; je passai près de son cercueil au
moment où on l'y clouait. Comme il était de mon âge
et de mon temps, je me dis : Qu'arriverait-il, si je
mourais ainsi tout d'un coup ?

Le dimanche suivant je me levai en proie à une douleur morne. J'allai visiter mon père, dont la servante
était malade, et qui paraissait avoir de l'humeur. Il
voulut aller seul chercher du bois à son grenier, et je ne
pus lui rendre que le service de lui tendre une bûche
dont il avait besoin. Je sortis consterné. Je rencontrai
dans les rues un ami qui voulait m'emmener dîner
chez lui pour me distraire un peu. Je refusai, et, sans
avoir mangé, je me dirigeai vers Montmartre. Le cime-

tière était fermé, ce que je regardai comme un mauvais présage. Un poète allemand m'avait donné quelques pages à traduire et m'avait avancé une somme sur ce travail. Je pris le chemin de sa maison pour lui rendre l'argent.

En tournant la barrière de Clichy je fus témoin d'une dispute. J'essayai de séparer les combattants, mais je n'y pus réussir. En ce moment un ouvrier de grande taille passa sur la place même où le combat venait d'avoir lieu, portant sur l'épaule gauche un enfant vêtu d'une robe couleur d'hyacinthe. Je m'imaginai que c'était saint Christophe portant le Christ, et que j'étais condamné pour avoir manqué de force dans la scène qui venait de se passer. A dater de ce moment, j'errai en proie au désespoir dans les terrains vagues qui séparent le faubourg de la barrière. Il était trop tard pour faire la visite que j'avais projetée. Je revins donc à travers les rues vers le centre de Paris. Vers la rue de la Victoire je rencontrai un prêtre, et, dans le désordre où j'étais, je voulus me confesser à lui. Il me dit qu'il n'était pas de la paroisse et qu'il allait en soirée chez quelqu'un; que, si je voulais le consulter le lendemain à Notre-Dame, je n'avais qu'à demander l'abbé Dubois.

Désespéré, je me dirigeai en pleurant vers Notre-Dame de Lorette, où j'allai me jeter au pied de l'autel de la Vierge, demandant pardon pour mes fautes. Quelque chose en moi me disait : La Vierge est morte et tes prières sont inutiles. J'allai me mettre à genoux aux dernières places du chœur, et je fis glisser de mon doigt une bague d'argent dont le chaton portait gravés ces trois mots arabes : *Allah! Mohamed! Ali!* Aussitôt plusieurs bougies s'allumèrent dans le chœur, et l'on commença un office auquel je tentai de m'unir en esprit. Quand on en fut à l'*Ave Maria*, le prêtre s'interrompit au milieu de l'oraison et recommença sept fois sans que je pusse retrouver dans ma mémoire les paroles suivantes. On termina ensuite la prière, et le prêtre fit un discours qui me semblait faire allusion à moi seul. Quand tout fut éteint je me levai et je sortis, me dirigeant vers les Champs-Elysées.

Arrivé sur la place de la Concorde, ma pensée était de me détruire. A plusieurs reprises je me dirigeai vers la Seine, mais quelque chose m'empêchait d'accomplir mon dessein. Les étoiles brillaient dans le firmament. Tout à coup il me sembla qu'elles venaient de s'éteindre à la fois comme les bougies que j'avais vues à l'église. Je crus que les temps étaient accomplis, et que nous touchions à la fin du monde annoncée dans l'Apocalypse de saint Jean. Je croyais voir un soleil noir dans le ciel désert et un globe rouge de sang au-dessus des Tuileries. Je me dis : « La nuit éternelle commence, et elle va être terrible. Que va-t-il arriver quand les hommes s'apercevront qu'il n'y a plus de soleil ? » Je revins par la rue Saint-Honoré, et je plaignais les paysans attardés que je rencontrais. Arrivé vers le Louvre, je marchai jusqu'à la place, et là un spectacle étrange m'attendait. A travers des nuages rapidement chassés par le vent, je vis plusieurs lunes qui passaient avec une grande rapidité. Je pensai que la terre était sortie de son orbite et qu'elle errait dans le firmament comme un vaisseau démâté, se rapprochant ou s'éloignant des étoiles qui grandissaient ou diminuaient tour à tour. Pendant deux ou trois heures, je contemplai ce désordre et je finis par me diriger du côté des halles. Les paysans apportaient leurs denrées, et je me disais : « Quel sera leur étonnement en voyant que la nuit se prolonge... » Cependant les chiens aboyaient çà et là et les coqs chantaient.

Brisé de fatigue, je rentrai chez moi et je me jetai sur mon lit. En m'éveillant je fus étonné de revoir la lumière. Une sorte de chœur mystérieux arriva à mon oreille; des voix enfantines répétaient en chœur : « *Christe! Christe! Christe!...* » Je pensai que l'on avait réuni dans l'église voisine (Notre-Dame-des-Victoires) un grand nombre d'enfants pour invoquer le Christ. — Mais le Christ n'est plus! me disais-je; ils ne le savent pas encore! — L'invocation dura environ une heure. Je me levai enfin et j'allai sous les galeries du Palais-Royal. Je me dis que probablement le soleil avait encore conservé assez de lumière pour éclairer la terre pendant trois jours, mais qu'il usait de sa propre

substance, et, en effet, je le trouvais froid et décoloré.
J'apaisai ma faim avec un petit gâteau pour me donner
la force d'aller jusqu'à la maison du poète allemand.
En entrant, je lui dis que tout était fini et qu'il fallait
nous préparer à mourir. Il appela sa femme qui me
dit : « Qu'avez-vous ? — Je ne sais, lui dis-je, je suis
perdu. » Elle envoya chercher un fiacre, et une jeune
fille me conduisit à la maison Dubois.

V

Là, mon mal reprit avec diverses alternatives. Au
bout d'un mois j'étais rétabli. Pendant les deux mois
qui suivirent, je repris mes pérégrinations autour de
Paris. Le plus long voyage que j'aie fait a été pour
visiter la cathédrale de Reims. Peu à peu je me remis à
écrire et je composai une de mes meilleures nouvelles.
Toutefois je l'écrivis péniblement, presque toujours
au crayon, sur des feuilles détachées, suivant le hasard
de ma rêverie ou de ma promenade. Les corrections
m'agitèrent beaucoup. Peu de jours après l'avoir
publiée, je me sentis pris d'une insomnie persistante.
J'allais me promener toute la nuit sur la colline de
Montmartre et y voir le lever du soleil. Je causais
longuement avec les paysans et les ouvriers. Dans
d'autres moments, je me dirigeais vers les halles. Une
nuit, j'allai souper dans un café du boulevard et je
m'amusai à jeter en l'air des pièces d'or et d'argent.
J'allai ensuite à la halle et je me disputai avec un
inconnu, à qui je donnai un rude soufflet; je ne sais
comment cela n'eut aucune suite. A une certaine
heure, entendant sonner l'horloge de Saint-Eustache,
je me pris à penser aux luttes des Bourguignons et des
d'Armagnac, et je croyais voir s'élever autour de moi
les fantômes des combattants de cette époque. Je me
pris de querelle avec un facteur qui portait sur sa poitrine une plaque d'argent, et que je disais être le duc
Jean de Bourgogne. Je voulais l'empêcher d'entrer
dans un cabaret. Par une singularité que je ne m'ex-
plique pas, voyant que je le menaçais de mort, son

visage se couvrit de larmes. Je me sentis attendri, et je le laissai passer.

Je me dirigeai vers les Tuileries, qui étaient fermées, et suivis la ligne des quais; je montai ensuite au Luxembourg, puis je revins déjeuner avec un de mes amis. Ensuite j'allai vers Saint-Eustache, où je m'agenouillai pieusement à l'autel de la Vierge en pensant à ma mère. Les pleurs que je versai détendirent mon âme, et, en sortant de l'église, j'achetai un anneau d'argent. De là j'allai rendre visite à mon père, chez lequel je laissai un bouquet de marguerites, car il était absent. J'allai de là au jardin des Plantes. Il y avait beaucoup de monde, et je restai quelque temps à regarder l'hippopotame qui se baignait dans un bassin. — J'allai ensuite visiter les galeries d'ostéologie. La vue des monstres qu'elles renferment me fit penser au déluge, et, lorsque je sortis, une averse épouvantable tombait dans le jardin. Je me dis : Quel malheur! Toutes ces femmes, tous ces enfants, vont se trouver mouillés!... Puis, je me dis : Mais c'est plus encore! c'est le véritable déluge qui commence. L'eau s'élevait dans les rues voisines; je descendis en courant la rue Saint-Victor, et, dans l'idée d'arrêter ce que je croyais l'inondation universelle, je jetai à l'endroit le plus profond l'anneau que j'avais acheté à Saint-Eustache. Vers le même moment l'orage s'apaisa, et un rayon de soleil commença à briller.

L'espoir rentra dans mon âme. J'avais rendez-vous à quatre heures chez mon ami Georges; je me dirigeai vers sa demeure. En passant devant un marchand de curiosités, j'achetai deux écrans de velours couverts de figures hiéroglyphiques. Il me sembla que c'était la consécration du pardon des cieux. J'arrivai chez Georges à l'heure précise et je lui confiai mon espoir. J'étais mouillé et fatigué. Je changeai de vêtements et me couchai sur son lit. Pendant mon sommeil, j'eus une vision merveilleuse. Il me semblait que la déesse m'apparaissait, me disant : « Je suis la même que Marie, la même que ta mère, la même aussi que sous toutes les formes tu as toujours aimée. A chacune de tes épreuves j'ai quitté l'un des masques dont je voile

mes traits, et bientôt tu me verras telle que je suis. »
Un verger délicieux sortait des nuages derrière elle,
une lumière douce et pénétrante éclairait ce paradis,
et cependant je n'entendais que sa voix, mais je me
sentais plongé dans une ivresse charmante. — Je
m'éveillai peu de temps après et je dis à Georges : Sortons. Pendant que nous traversions le pont des Arts,
je lui expliquai les migrations des âmes, et je lui disais :
Il me semble que ce soir j'ai en moi l'âme de Napoléon qui m'inspire et me commande de grandes
choses. — Dans la rue du Coq j'achetai un chapeau, et
pendant que Georges recevait la monnaie de la pièce
d'or que j'avais jetée sur le comptoir, je continuai
ma route et j'arrivai aux galeries du Palais-Royal.
    Là il me sembla que tout le monde me regardait.
Une idée persistante s'était logée dans mon esprit, c'est
qu'il n'y avait plus de morts; je parcourais la galerie
de Foy en disant : J'ai fait une faute, et je ne pouvais découvrir laquelle en consultant ma mémoire que
je croyais être celle de Napoléon... Il y a quelque
chose que je n'ai point payé par ici! J'entrai au café
de Foy dans cette idée, et je crus reconnaître dans un
des habitués le père Bertin des *Débats*. Ensuite je traversai le jardin et je pris quelque intérêt à voir les
rondes des petites filles. De là je sortis des galeries et je
me dirigeai vers la rue Saint-Honoré. J'entrai dans une
boutique pour acheter un cigare, et quand je sortis
la foule était si compacte que je faillis être étouffé.
Trois de mes amis me dégagèrent en répondant de
moi et me firent entrer dans un café pendant que l'un
d'eux allait chercher un fiacre. On me conduisit à
l'hospice de la Charité.
    Pendant la nuit, le délire augmenta, surtout le
matin, lorsque je m'aperçus que j'étais attaché. Je
parvins à me débarrasser de la camisole de force et
vers le matin je me promenai dans les salles. L'idée
que j'étais devenu semblable à un dieu et que j'avais le
pouvoir de guérir me fit imposer les mains à quelques
malades, et, m'approchant d'une statue de la Vierge,
j'enlevai la couronne de fleurs artificielles pour appuyer
le pouvoir que je me croyais. Je marchai à grands pas,

parlant avec animation de l'ignorance des hommes qui croyaient pouvoir guérir avec la science seule, et voyant sur la table un flacon d'éther, je l'avalai d'une gorgée. Un interne, d'une figure que je comparais à celle des anges, voulut m'arrêter, mais la force nerveuse me soutenait, et, prêt à le renverser, je m'arrêtai, lui disant qu'il ne comprenait pas quelle était ma mission. Des médecins vinrent alors, et je continuai mes discours sur l'impuissance de leur art. Puis je descendis l'escalier, bien que n'ayant point de chaussure. Arrivé devant un parterre, j'y entrai et je cueillis des fleurs en me promenant sur le gazon.

Un de mes amis était revenu pour me chercher. Je sortis alors du parterre, et, pendant que je lui parlais, on me jeta sur les épaules une camisole de force, puis on me fit monter dans un fiacre et je fus conduit à une maison de santé située hors de Paris. Je compris, en me voyant parmi les aliénés, que tout n'avait été pour moi qu'illusions jusque-là. Toutefois les promesses que j'attribuais à la déesse Isis me semblaient se réaliser par une série d'épreuves que j'étais destiné à subir. Je les acceptai donc avec résignation.

La partie de la maison où je me trouvais donnait sur un vaste promenoir ombragé de noyers. Dans un angle se trouvait une petite butte où l'un des prisonniers se promenait en cercle tout le jour. D'autres se bornaient, comme moi, à parcourir le terre-plein ou la terrasse, bordée d'un talus de gazon. Sur un mur, situé au couchant, étaient tracées des figures dont l'une représentait la forme de la lune avec des yeux et une bouche tracés géométriquement ; sur cette figure on avait peint une sorte de masque ; le mur de gauche présentait divers dessins de profil dont l'un figurait une sorte d'idole japonaise. Plus loin, une tête de mort était creusée dans le plâtre ; sur la face opposée, deux pierres de taille avaient été sculptées par quelqu'un des hôtes du jardin et représentaient de petits mascarons assez bien rendus. Deux portes donnaient sur des caves, et je m'imaginai que c'étaient des voies souterraines pareilles à celles que j'avais vues à l'entrée des Pyramides.

VI

Je m'imaginai d'abord que les personnes réunies dans ce jardin avaient toutes quelque influence sur les astres, et que celui qui tournait sans cesse dans le même cercle y réglait la marche du soleil. Un vieillard, que l'on amenait à certaines heures du jour et qui faisait des nœuds en consultant sa montre, m'apparaissait comme chargé de constater la marche des heures. Je m'attribuai à moi-même une influence sur la marche de la lune, et je crus que cet astre avait reçu un coup de foudre du Tout-Puissant qui avait tracé sur sa face l'empreinte du masque que j'avais remarquée.

J'attribuais un sens mystique aux conversations des gardiens et à celles de mes compagnons. Il me semblait qu'ils étaient les représentants de toutes les races de la terre et qu'il s'agissait entre nous de fixer à nouveau la marche des astres et de donner un développement plus grand au système. Une erreur s'était glissée, selon moi, dans la combinaison générale des nombres, et de là venaient tous les maux de l'humanité. Je croyais encore que les esprits célestes avaient pris des formes humaines et assistaient à ce congrès général, tout en paraissant occupés de soins vulgaires. Mon rôle me semblait être de rétablir l'harmonie universelle par art cabalistique et de chercher une solution en évoquant les forces occultes des diverses religions.

Outre le promenoir, nous avions encore une salle dont les vitres rayées perpendiculairement donnaient sur un horizon de verdure. En regardant derrière ces vitres la ligne des bâtiments extérieurs, je voyais se découper la façade et les fenêtres en mille pavillons ornés d'arabesques, et surmontés de découpures et d'aiguilles, qui me rappelaient les kiosques impériaux bordant le Bosphore. Cela conduisit naturellement ma pensée aux préoccupations orientales. Vers deux heures on me mit au bain, et je me crus servi par les Walkyries, filles d'Odin, qui voulaient m'élever à l'immortalité en dépouillant peu à peu mon corps de ce qu'il avait d'impur.

Je me promenai le soir plein de sérénité aux rayons de la lune, et en levant les yeux vers les arbres, il me semblait que les feuilles se roulaient capricieusement de manière à former des images de cavaliers et de dames, portés par des chevaux caparaçonnés. C'étaient pour moi les figures triomphantes des aïeux. Cette pensée me conduisit à celle qu'il y avait une vaste conspiration de tous les êtres animés pour rétablir le monde dans son harmonie première, et que les communications avaient lieu par le magnétisme des astres, qu'une chaîne non interrompue liait autour de la terre les intelligences dévouées à cette communication générale, et que les chants, les danses, les regards, aimantés de proche en proche, traduisaient la même aspiration. La lune était pour moi le refuge des âmes fraternelles qui, délivrées de leurs corps mortels, travaillaient plus librement à la régénération de l'univers.

Pour moi déjà, le temps de chaque journée semblait augmenté de deux heures; de sorte qu'en me levant aux heures fixées par les horloges de la maison, je ne faisais que me promener dans l'empire des ombres. Les compagnons qui m'entouraient me semblaient endormis et pareils aux spectres du Tartare jusqu'à l'heure où pour moi se levait le soleil. Alors je saluais cet astre par une prière, et ma vie réelle commençait.

Du moment que je me fus assuré de ce point que j'étais soumis aux épreuves de l'initiation sacrée, une force invincible entra dans mon esprit. Je me jugeais un héros vivant sous le regard des dieux; tout dans la nature prenait des aspects nouveaux, et des voix secrètes sortaient de la plante, de l'arbre, des animaux, des plus humbles insectes, pour m'avertir et m'encourager. Le langage de mes compagnons avait des tours mystérieux dont je comprenais le sens, les objets sans forme et sans vie se prêtaient eux-mêmes aux calculs de mon esprit; — des combinaisons de cailloux, des figures d'angles, de fentes ou d'ouvertures, des découpures de feuilles, des couleurs, des odeurs et des sons je voyais ressortir des harmonies jusqu'alors inconnues. Comment, me disais-je, ai-je pu exister si longtemps hors de la nature et sans m'identifier à elle ? Tout vit,

tout agit, tout se correspond; les rayons magnétiques
émanés de moi-même ou des autres traversent sans
obstacle la chaîne infinie des choses créées; c'est un
réseau transparent qui couvre le monde, et dont les
fils déliés se communiquent de proche en proche aux
planètes et aux étoiles. Captif en ce moment sur la
terre, je m'entretiens avec le chœur des astres, qui
prend part à mes joies et à mes douleurs!

Aussitôt je frémis en songeant que ce mystère même
pouvait être surpris. — Si l'électricité, me dis-je, qui
est le magnétisme des corps physiques, peut subir une
direction qui lui impose des lois, à plus forte raison des
esprits hostiles et tyranniques peuvent asservir les
intelligences et se servir de leurs forces divisées dans
un but de domination. C'est ainsi que les dieux
antiques ont été vaincus et asservis par des dieux nouveaux; c'est ainsi, me dis-je encore, en consultant mes
souvenirs du monde ancien, que les nécromans dominaient des peuples entiers, dont les générations se
succédaient captives sous leur sceptre éternel. O malheur! la Mort elle-même ne peut les affranchir! car
nous revivons dans nos fils comme nous avons vécu
dans nos pères, — et la science impitoyable de nos
ennemis sait nous reconnaître partout. L'heure de
notre naissance, le point de la terre où nous paraissons,
le premier geste, le nom, la chambre, — et toutes ces
consécrations, et tous ces rites qu'on nous impose,
tout cela établit une série heureuse ou fatale d'où
l'avenir dépend tout entier. Mais si déjà cela est terrible selon les seuls calculs humains, comprenez ce que
cela doit être en se rattachant aux formules mystérieuses qui établissent l'ordre des mondes. On l'a dit
justement : rien n'est indifférent, rien n'est impuissant
dans l'univers; un atome peut tout dissoudre, un atome
peut tout sauver!

O terreur! voilà l'éternelle distinction du bon et
du mauvais. Mon âme est-elle la molécule indes-
tructible, le globule qu'un peu d'air gonfle, mais qui
retrouve sa place dans la nature, ou ce vide même,
image du néant qui disparaît dans l'immensité?
Serait-elle encore la parcelle fatale destinée à subir,

sous toutes ses transformations, les vengeances des
êtres puissants ? Je me vis amené ainsi à me demander compte de ma vie, et même de mes existences
antérieures. En me prouvant que j'étais bon, je me
prouvai que j'avais dû toujours l'être. Et si j'ai été
mauvais, me dis-je, ma vie actuelle ne sera-t-elle pas
une suffisante expiation ? Cette pensée me rassura,
mais ne m'ôta pas la crainte d'être à jamais classé parmi
les malheureux. Je me sentais plongé dans une eau
froide, et une eau plus froide encore ruisselait sur mon
front. Je reportai ma pensée à l'éternelle Isis, la mère et
l'épouse sacrée; toutes mes aspirations, toutes mes
prières se confondaient dans ce nom magique, je me
sentais revivre en elle, et parfois elle m'apparaissait
sous la figure de la Vénus antique, parfois aussi sous
les traits de la Vierge des chrétiens. La nuit me ramena
plus distinctement cette apparition chérie, et pourtant
je me disais : Que peut-elle, vaincue, opprimée peut-
être, pour ses pauvres enfants ? Pâle et déchiré, le
croissant de la lune s'amincissait tous les soirs et allait
bientôt disparaître; peut-être ne devions-nous plus le
revoir au ciel! Cependant il me semblait que cet astre
était le refuge de toutes les âmes sœurs de la mienne,
et je le voyais peuplé d'ombres plaintives destinées à
renaître un jour sur la terre...

Ma chambre est à l'extrémité d'un corridor habité
d'un côté par les fous, et de l'autre par les domestiques
de la maison. Elle a seule le privilège d'une fenêtre,
percée du côté de la cour, plantée d'arbres, qui sert
de promenoir pendant la journée. Mes regards s'ar-
rêtent avec plaisir sur un noyer touffu et sur deux
mûriers de la Chine. Au-dessus, l'on aperçoit vaguement une rue assez fréquentée, à travers des treillages
peints en vert. Au couchant, l'horizon s'élargit; c'est
comme un hameau aux fenêtres revêtues de verdure ou
embarrassées de cages, de loques qui sèchent, et d'où
l'on voit sortir par instant quelque profil de jeune ou
vieille ménagère, quelque tête rose d'enfant. On crie,
on chante, on rit aux éclats; c'est gai ou triste à
entendre, selon les heures et selon les impressions.

J'ai trouvé là tous les débris de mes diverses fortunes,

les restes confus de plusieurs mobiliers dispersés ou
revendus depuis vingt ans. C'est un capharnaüm
comme celui du docteur Faust. Une table antique à
trépied aux têtes d'aigles, une console soutenue par un
sphinx ailé, une commode du dix-septième siècle, une
bibliothèque du dix-huitième, un lit du même temps,
dont le baldaquin, à ciel ovale, est revêtu de lampas
rouge (mais on n'a pu dresser ce dernier); une étagère
rustique chargée de faïences et de porcelaines de Sèvres,
assez endommagées la plupart; un narguilé rapporté
de Constantinople, une grande coupe d'albâtre, un
vase de cristal; des panneaux de boiseries provenant
de la démolition d'une vieille maison que j'avais habitée
sur l'emplacement du Louvre, et couverts de peintures
mythologiques exécutées par des amis aujourd'hui
célèbres, deux grandes toiles dans le goût de Prudhon,
représentant la Muse de l'histoire et celle de la comédie.
Je me suis plu pendant quelques jours à ranger tout
cela, à créer dans la mansarde étroite un ensemble
bizarre qui tient du palais et de la chaumière, et qui
résume assez bien mon existence errante. J'ai suspendu
au-dessus de mon lit mes vêtements arabes, mes deux
cachemires industrieusement reprisés, une gourde de
pèlerin, un carnier de chasse. Au-dessus de la bibliothèque s'étale un vaste plan du Caire; une console de
bambou, dressée à mon chevet, supporte un plateau
de l'Inde vernissé où je puis disposer mes ustensiles
de toilette. J'ai retrouvé avec joie ces humbles restes
de mes années alternatives de fortune et de misère, où
se rattachaient tous les souvenirs de ma vie. On avait
seulement mis à part un petit tableau sur cuivre, dans
le goût du Corrège, représentant *Vénus et l'Amour*,
des trumeaux de chasseresses et de satyres et une
flèche que j'avais conservée en mémoire des compa-
gnies de l'arc du Valois, dont j'avais fait partie dans
ma jeunesse : les armes étaient vendues depuis les lois
nouvelles. En somme, je retrouvais là à peu près tout
ce que j'avais possédé en dernier lieu. Mes livres, amas
bizarre de la science de tous les temps, histoire, voyages,
religions, cabale, astrologie, à réjouir les ombres de Pic
de la Mirandole, du sage Meursius et de Nicolas de

Cusa, — la tour de Babel en deux cents volumes, —
on m'avait laissé tout cela! Il y avait de quoi rendre
fou un sage; tâchons qu'il y ait aussi de quoi rendre
sage un fou.

Avec quelles délices j'ai pu classer dans mes tiroirs
l'amas de mes notes et de mes correspondances intimes
ou publiques, obscures ou illustres, comme les a faites
le hasard des rencontres ou des pays lointains que j'ai
parcourus. Dans des rouleaux mieux enveloppés que
les autres, je retrouve des lettres arabes, des reliques
du Caire et de Stamboul. O bonheur! ô tristesse mortelle! ces caractères jaunis, ces brouillons effacés, ces
lettres à demi froissées, c'est le trésor de mon seul
amour... Relisons... Bien des lettres manquent, bien
d'autres sont déchirées ou raturées; voici ce que je
retrouve :

. . . .

Une nuit, je parlais et chantais dans une sorte d'ex-
tase. Un des servants de la maison vint me chercher
dans ma cellule et me fit descendre à une chambre du
rez-de-chaussée, où il m'enferma. Je continuais mon
rêve et, quoique debout, je me croyais enfermé dans
une sorte de kiosque oriental. J'en sondai tous les
angles et je vis qu'il était octogone. Un divan régnait
autour des murs, et il me semblait que ces derniers
étaient formés d'une glace épaisse, au-delà de laquelle
je voyais briller des trésors, des châles et des tapisseries.
Un paysage éclairé par la lune m'apparaissait au travers des treillages de la porte, et il me semblait reconnaître la figure des troncs d'arbres et des rochers.
J'avais déjà séjourné là dans quelque autre existence,
et je croyais reconnaître les profondes grottes d'Ello-
rah. Peu à peu un jour bleuâtre pénétra dans le kiosque
et y fit apparaître des images bizarres. Je crus alors
me trouver au milieu d'un vaste charnier où l'histoire
universelle était écrite en traits de sang. Le corps d'une
femme gigantesque était peint en face de moi, seulement, ses diverses parties étaient tranchées comme
par le sabre; d'autres femmes de races diverses et dont
les corps dominaient de plus en plus, présentaient sur
les autres murs un fouillis sanglant de membres et de

têtes, depuis les impératrices et les reines jusqu'aux
plus humbles paysans. C'était l'histoire de tous les
crimes, et il suffisait de fixer les yeux sur tel ou tel
point pour voir s'y dessiner une représentation tragique. — Voilà, me disais-je, ce qu'a produit la puissance déférée aux hommes. Ils ont peu à peu détruit
et tranché en mille morceaux le type éternel de la
beauté, si bien que les races perdent de plus en force et
perfection... Et je voyais, en effet, sur une ligne d'ombre
qui se faufilait par un des jours de la porte, la génération descendante des races de l'avenir.

Je fus enfin arraché à cette sombre contemplation.
La figure bonne et compatissante de mon excellent
médecin me rendit au monde des vivants. Il me fit assis-
ter à un spectacle qui m'intéressa vivement. Parmi les
malades se trouvait un jeune homme, ancien soldat
d'Afrique, qui depuis six semaines se refusait à
prendre de la nourriture. Au moyen d'un long tuyau
de caoutchouc introduit [dans son estomac, on lui
faisait avaler des substances liquides et nutritives. Du
reste, il ne pouvait ni voir ni parler, et rien n'indiquait
qu'il pût entendre [1].]

Ce spectacle m'impressionna vivement. Abandonné
jusque-là au cercle monotone de mes sensations ou de
mes souffrances morales, je rencontrais un être indé-
finissable, taciturne et patient, assis comme un sphinx
aux portes suprêmes de l'existence. Je me pris à
l'aimer à cause de son malheur et de son abandon, et
je me sentis relevé par cette sympathie et par cette
pitié. Il me semblait, placé ainsi entre la mort et la vie,
comme un interprète sublime, comme un confesseur
prédestiné à entendre ces secrets de l'âme que la parole
n'oserait transmettre ou ne réussirait pas à rendre.
C'était l'oreille de Dieu sans le mélange de la pensée
d'un autre. Je passais des heures entières à m'examiner

---

1. *La Revue de Paris* donnait : dans une narine, on lui faisait
couler dans l'estomac une assez grande quantité de semoule
ou de chocolat (N. de l'éditeur). Nous adoptons la correction figurant sur un placard de la collection Lovenjoul, relevée
par J. Richer.

mentalement, la tête penchée sur la sienne et lui
tenant les mains. Il me semblait qu'un certain magnétisme réunissait nos deux esprits, et je me sentis ravi
quand la première fois une parole sortit de sa bouche.
On n'en voulait rien croire, et j'attribuais à mon
ardente volonté ce commencement de guérison. Cette
nuit-là j'eus un rêve délicieux, le premier depuis bien
longtemps. J'étais dans une tour, si profonde du côté
de la terre et si haute du côté du ciel, que toute mon
existence semblait devoir se consumer à monter et descendre. Déjà mes forces s'étaient épuisées, et j'allais
manquer de courage, quand une porte latérale vint à
s'ouvrir; un esprit se présente et me dit : Viens,
frère!... Je ne sais pourquoi il me vint à l'idée qu'il
s'appelait Saturnin. Il avait les traits du pauvre malade,
mais transfigurés et intelligents. Nous étions dans une
campagne éclairée des feux des étoiles; nous nous
arrêtâmes à contempler ce spectacle, et l'esprit étendit
sa main sur mon front comme je l'avais fait la veille en
cherchant à magnétiser mon compagnon; aussitôt une
des étoiles que je voyais au ciel se mit à grandir, et la
divinité de mes rêves m'apparut souriante, dans un
costume presque indien, telle que je l'avais vue autrefois. Elle marcha entre nous deux, et les prés verdis-
saient, les fleurs et les feuillages s'élevaient de terre
sur la trace de ses pas... Elle me dit : « L'épreuve à
laquelle tu étais soumis est venue à son terme; ces
escaliers sans nombre que tu te fatiguais à descendre ou
à gravir, étaient les liens mêmes des anciennes illusions qui embarrassaient ta pensée, et maintenant
rappelle-toi le jour où tu as imploré la Vierge sainte et
où, la croyant morte, le délire s'est emparé de ton
esprit. Il fallait que ton vœu lui fût porté par une âme
simple et dégagée des liens de la terre. Celle-là s'est ren-
contrée près de toi, et c'est pourquoi il m'est permis à
moi-même de venir et de t'encourager. » La joie que ce
rêve répandit dans mon esprit me procura un réveil
délicieux. Le jour commençait à poindre. Je voulus
avoir un signe matériel de l'apparition qui m'avait
consolé, et j'écrivis sur le mur ces mots : « Tu m'as
visité cette nuit. »

J'inscris ici, sous le titre de *Mémorables*, les impressions de plusieurs rêves qui suivirent celui que je viens de rapporter.

———————

. . . .

Sur un pic élancé de l'Auvergne a retenti la chanson des pâtres. *Pauvre Marie!* reine des cieux! c'est à toi qu'ils s'adressent pieusement. Cette mélodie rustique a frappé l'oreille des corybantes. Ils sortent, en chantant à leur tour, des grottes secrètes où l'Amour leur fit des abris. — Hosannah! paix à la terre et gloire aux cieux!

Sur les montagnes de l'Hymalaya une petite fleur est née. — Ne m'oubliez pas! — Le regard chatoyant d'une étoile s'est fixé un instant sur elle, et une réponse s'est fait entendre dans un doux langage étranger. — *Myosotis!*

Une perle d'argent brillait dans le sable; une perle d'or étincelait au ciel... Le monde était créé. Chastes amours, divins soupirs! enflammez la sainte montagne... car vous avez des frères dans les vallées et des sœurs timides qui se dérobent au sein des bois!

Bosquets embaumés de Paphos, vous ne valez pas ces retraites où l'on respire à pleins poumons l'air vivifiant de la patrie. — Là-haut, sur les montagnes, le monde y vit content; le rossignol sauvage fait [mon] contentement!

Oh! que ma grande amie est belle! Elle est si grande, qu'elle pardonne au monde, et si bonne, qu'elle m'a pardonné. L'autre nuit, elle était couchée je ne sais dans quel palais, et je ne pouvais la rejoindre. Mon cheval alezan brûlé se dérobait sous moi. Les rênes brisées flottaient sur sa croupe en sueur, et il me fallut de grands efforts pour l'empêcher de se coucher à terre.

Cette nuit, le bon Saturnin m'est venu en aide, et ma grande amie a pris place à mes côtés, sur sa cavale blanche caparaçonnée d'argent. Elle m'a dit : « Courage, frère! car c'est la dernière étape. » Et ses grands yeux dévoraient l'espace, et elle faisait voler dans l'air sa longue chevelure imprégnée des parfums de l'Yémen.

Je reconnus les traits divins de ***. Nous volions au triomphe, et nos ennemis étaient à nos pieds. La huppe messagère nous guidait au plus haut des cieux, et l'arc de lumière éclatait dans les mains divines d'Apollon. Le cor enchanté d'Adonis résonnait à travers les bois.

O Mort, où est ta victoire, puisque le Messie vainqueur chevauchait entre nous deux ? Sa robe était d'hyacinthe soufrée, et ses poignets, ainsi que les chevilles de ses pieds, étincelaient de diamants et de rubis. Quand sa houssine légère toucha la porte de nacre de la Jérusalem nouvelle, nous fûmes tous les trois inondés de lumière. C'est alors que je suis descendu parmi les hommes pour leur annoncer l'heureuse nouvelle.

Je sors d'un rêve bien doux : j'ai revu celle que j'avais aimée transfigurée et radieuse. Le ciel s'est ouvert dans toute sa gloire, et j'y ai lu le mot *pardon* signé du sang de Jésus-Christ.

Une étoile a brillé tout à coup et m'a révélé le secret du monde et des mondes. Hosannah! paix à la terre et gloire aux cieux!

Du sein des ténèbres muettes deux notes ont résonné, l'une grave, l'autre aiguë, — et l'orbe éternel s'est mis à tourner aussitôt. Sois bénie, ô première octave qui commenças l'hymne divin! Du dimanche au dimanche enlace tous les jours dans ton réseau magique. Les monts te chantent aux vallées, les sources aux rivières, les rivières aux fleuves, et les fleuves à l'Océan; l'air vibre, et la lumière [baise] harmonieusement les fleurs naissantes. Un soupir, un frisson d'amour sort du sein gonflé de la terre, et le chœur des astres se déroule dans l'infini; il s'écarte et revient sur lui-même, se resserre et s'épanouit, et sème au loin les germes des créations nouvelles.

Sur la cime d'un mont bleuâtre une petite fleur est née. — Ne m'oubliez pas! — Le regard chatoyant d'une étoile s'est fixé un instant sur elle, et une réponse s'est fait entendre dans un doux langage étranger. — *Myosotis!*

Malheur à toi, dieu du Nord, — qui brisas d'un coup

de marteau la sainte table composée des sept métaux
les plus précieux! car tu n'as pu briser la *Perle rose*
qui reposait au centre. Elle a rebondi sous le fer, — et
voici que nous nous sommes armés pour elle... Hosannah!

Le *macrocosme*, ou grand monde, a été construit par
art cabalistique; le *microcosme*, ou petit monde, est
son image réfléchie dans tous les cœurs. La Perle rose
a été teinte du sang royal des Walkyries. Malheur à
toi, dieu-forgeron, qui as voulu briser un monde!

Cependant le pardon du Christ a été aussi prononcé
pour toi!

Sois donc béni toi-même, ô Thor, le géant, — le
plus puissant des fils d'Odin! Sois béni dans Héla, ta
mère, car souvent le trépas est doux, — et dans ton
frère Loki, et dans ton chien Garnur!

Le serpent qui entoure le Monde est béni lui-même,
car il relâche ses anneaux, et sa gueule béante aspire la
fleur d'anxoka, la fleur soufrée, — la fleur éclatante
du soleil!

Que Dieu préserve le divin Balder, le fils d'Odin, et
Freya la belle!

———————————

. . . .

Je me trouvais *en esprit* à Saardam, que j'ai visitée
l'année dernière. La neige couvrait la terre. Une toute
petite fille marchait en glissant sur la terre durcie et
se dirigeait, je crois, vers la maison de Pierre le Grand.
Son profil majestueux avait quelque chose de bourbon-
nien. Son cou, d'une éclatante blancheur, sortait à demi
d'une palatine de plumes de cygne. De sa petite main
rose elle préservait du vent une lampe allumée et allait
frapper à la porte verte de la maison, lorsqu'une chatte
maigre qui en sortait s'embarrassa dans ses jambes et la
fit tomber. — Tiens! ce n'est qu'un chat! dit la petite
fille en se relevant. — Un chat, c'est quelque chose!
répondit une voix douce. J'étais présent à cette scène,
et je portais sur mon bras un petit chat gris qui se mit
à miauler. — C'est l'enfant de cette vieille fée! dit la
petite fille. Et elle entra dans la maison.

Cette nuit mon rêve s'est transporté d'abord à Vienne. — On sait que sur chacune des places de cette ville sont élevées de grandes colonnes qu'on appelle *pardons*. Des nuages de marbre s'accumulent en figurant l'ordre salomonique et supportent des globes où président assises des divinités. Tout à coup, ô merveille ! je me mis à songer à cette auguste sœur de l'empereur de Russie, dont j'ai vu le palais impérial à Weimar. — Une mélancolie pleine de douceur me fit voir les brumes colorées d'un paysage de Norvège éclairé d'un jour gris et doux. Les nuages devinrent transparents, et je vis se creuser devant moi un abîme profond où s'engouffraient tumultueusement les flots de la Baltique glacée. Il semblait que le fleuve entier de la Néwa, aux eaux bleues, dût s'engloutir dans cette fissure du globe. Les vaisseaux de Cronstadt et de Saint-Pétersbourg s'agitaient sur leurs ancres, prêts à se détacher et à disparaître dans le gouffre, quand une lumière divine éclaira d'en haut cette scène de désolation.

Sous le vif rayon qui perçait la brume, je vis apparaître aussitôt le rocher qui supporte la statue de Pierre le Grand. Au-dessus de ce solide piédestal vinrent se grouper des nuages qui s'élevaient jusqu'au zénith. Ils étaient chargés de figures radieuses et divines, parmi lesquelles on distinguait les deux Catherine et l'impératrice sainte Hélène, accompagnées des plus belles princesses de Moscovie et de Pologne. Leurs doux regards, dirigés vers la France, rapprochaient l'espace au moyen de longs télescopes de cristal. Je vis par là que notre patrie devenait l'arbitre de la querelle orientale, et qu'elles en attendaient la solution. Mon rêve se termina par le doux espoir que la paix nous serait enfin donnée.

C'est ainsi que je m'encourageais à une audacieuse tentative. Je résolus de fixer le rêve et d'en connaître le secret. Pourquoi, me dis-je, ne point enfin forcer ces portes mystiques, armé de toute ma volonté, et dominer mes sensations au lieu de les subir ? N'est-il pas possible de dompter cette chimère attrayante et redoutable, d'imposer une règle à ces esprits des nuits qui se jouent de notre raison ? Le sommeil occupe le tiers de notre vie. Il est la consolation des peines de nos journées ou la peine de leurs plaisirs; mais je n'ai jamais éprouvé que le sommeil fût un repos. Après un engourdissement de quelques minutes, une vie nouvelle commence, affranchie des conditions du temps et de l'espace, et pareille sans doute à celle qui nous attend après la mort. Qui sait s'il n'existe pas un lien entre ces deux existences et s'il n'est pas possible à l'âme de le nouer dès à présent ?

Dès ce moment, je m'appliquais à chercher le sens de mes rêves, et cette inquiétude influa sur mes réflexions de l'état de veille. Je crus comprendre qu'il existait entre le monde externe et le monde interne un lien ; que l'inattention ou le désordre d'esprit en faussaient seuls les rapports apparents, — et qu'ainsi s'expliquait la bizarrerie de certains tableaux, semblables à ces reflets grimaçants d'objets réels qui s'agitent sur l'eau troublée.

Telles étaient les inspirations de mes nuits ; mes journées se passaient doucement dans la compagnie des pauvres malades, dont je m'étais fait des amis. La conscience que désormais j'étais purifié des fautes de ma vie passée me donnait des jouissances morales infinies ; la certitude de l'immortalité et de la coexistence de toutes les personnes que j'avais aimées m'était arrivée matériellement, pour ainsi dire, et je bénissais l'âme fraternelle qui, du sein du désespoir, m'avait fait rentrer dans les voies lumineuses de la religion.

Le pauvre garçon de qui la vie intelligente s'était si singulièrement retirée recevait des soins qui triomphaient peu à peu de sa torpeur. Ayant appris qu'il était né à la campagne, je passais des heures entières à lui chanter d'anciennes chansons de village, auxquelles je cherchais à donner l'expression la plus touchante. J'eus le bonheur de voir qu'il les entendait et qu'il répétait certaines parties de ces chants. Un jour, enfin, il ouvrit les yeux un seul instant, et je vis qu'ils étaient bleus comme ceux de l'esprit qui m'était apparu en rêve. Un matin, à quelques jours de là, il tint ses yeux grands ouverts et ne les ferma plus. Il se mit aussitôt à parler, mais seulement par intervalle, et me reconnut, me tutoyant et m'appelant frère. Cependant il ne voulait pas davantage se résoudre à manger. Un jour, revenant du jardin, il me dit : « J'ai soif. » J'allai lui chercher à boire ; le verre toucha ses lèvres sans qu'il pût avaler. — Pourquoi, lui dis-je, ne veux-tu pas manger et boire comme les autres ? — C'est que je suis mort, dit-il ; j'ai été enterré dans tel cimetière, à telle place... — Et maintenant, où crois-tu être ? — En purgatoire, j'accomplis mon expiation.

Telles sont les idées bizarres que donnent ces sortes de maladies ; je reconnus en moi-même que je n'avais pas été loin d'une si étrange persuasion. Les soins que j'avais reçus m'avaient déjà rendu à l'affection de ma famille et de mes amis, et je pouvais juger plus sainement le monde d'illusions où j'avais quelque temps vécu. Toutefois, je me sens heureux des convictions que j'ai acquises, et je compare cette série d'épreuves que j'ai traversées à ce qui, pour les anciens, représentait l'idée d'une descente aux enfers.

TABLE DES MATIÈRES

GF — TEXTE INTÉGRAL — GF

4184-1972. — Impr.-Reliure Maison Mame, Tours.
N° d'édition 8394. — 1er trimestre 1972. — PRINTED IN FRANCE.